CYN EI DDOD

NICK FAWCETT

Addasiad Cymraeg
gan Olaf Davies

CYHOEDDIADAU'R
GAIR

Er cof am fy Neiniau

Annie Elen Williams.
(Paradwys, Ynys Môn)

Mabel Dorothy Davies
(Craig Cefn Parc, Cwm Tawe)

ⓑ Cyhoeddiadau'r Gair 2004

Testun gwreiddiol: Nick Fawcett
Addasiad Cymraeg gan Olaf Davies

Dymuna'r cyhoeddwyr gydnabod cymorth
Adran Olygyddol Cyngor Llyfrau Cymru.

Golygydd Cyffredinol: Aled Davies

Cyhoeddwyd yn wreiddiol gan Kevin Mayhew Ltd yn 2000.

ISBN 1 85994 481 7
Argraffwyd ym Mhrydain.

**Cyhoeddwyd gan
Cyhoeddiadau'r Gair, Cyngor Ysgolion Sul Cymru,
Ysgol Addysg, PCB, Safle'r Normal,
Bangor, Gwynedd, LL57 2PX.**

Printed by Bell & Bain Ltd., Glasgow

Cyflwyniad

Rhaid cyfaddef mai gwaith anodd yw ceisio dygymod â llawer o bethau yn yr Hen Destament. Y mae ynddo nifer o adrannau sy'n ymddangos yn ddiflas, cyntefig a hyd yn oed yn farbaraidd yng ngoleuni safonau Cristnogol. Nid yw ceisio cysoni Duw yr Hen Destament gyda'r Duw a ddatguddiwyd i ni yn Iesu Grist yn waith hawdd. Er hynny, buasai diystyru'r Hen Destament ar sail yr anawsterau hynny yn golygu ein bod yn colli golwg ar ei gyfoeth dihysbydd.

Dychmygwch y Nadolig neu'r Wythnos Fawr heb eiriau'r proffwyd Eseia:

'Y bobl oedd yn rhodio mewn tywyllwch a welodd oleuni mawr.'
'Ond fe'i harchollwyd am ein troseddau ni, a'i glwyfo am ein hanwireddau ni; roedd pris ein heddwch ni arno ef a thrwy ei gleisiau ef y cawsom ni iachâd.'

Dychmygwch Wener y Groglith heb gri ingol y Salmydd:

'Fy Nuw, fy Nuw, pam yr wyt wedi fy ngadael?'

Dychmygwch y Pentecost heb weledigaeth ryfeddol Joel:

'Bydd eich meibion a'ch merched yn proffwydo; bydd eich gwŷr ifainc yn cael gweledigaethau, a'ch hynafgwyr yn gweld breuddwydion.

Y mae gwreiddiau'r ffydd Gristnogol yn ddwfn yn yr Hen Destament, ac yng ngoleuni ei dudalennau y mae'n rhaid i ni ddehongli tystiolaeth y Newydd.

Ar dudalennau'r Hen Destament y cofnodwyd rhai o'r storïau rhyfeddaf a adroddwyd erioed: Noa a'r Dilyw, Esau a Jacob, Moses yn croesi'r Môr Coch, Dafydd a Goliath, Daniel yn Ffau'r Llewod, Sadrach Mesach ac Abednego, Jona a'r Morfil. Dyma storïau sydd wedi cydio yn nychymyg pobl ar draws y canrifoedd. Yn ogystal â chyfathrebu gwirioneddau diwinyddol sylfaenol, y maent hefyd yn llefaru'n uniongyrchol wrth gyflwr dyn. Gallwn yn hawdd uniaethu ein hunain gyda'r cymeriadau hyn, gan weld rhyw gymaint ohonom ein hunain ynddynt hwy.

Cenedl sydd yma yn ceisio ymgodymu â Duw. Cenedl yn ceisio symud ymlaen yn araf i ddealltwriaeth ddyfnach o'i fawredd, ei gariad a'i drugaredd, a'r cyfan yn cael ei grynhoi yn ei disgwyliad o ddyfodiad y Meseia. Nid fod dyfodiad Iesu yn golygu fod ein darlun o Dduw yn gyflawn, oherwydd y mae'n rhaid i bawb ohonom yn ein tro ymgodymu ag Ef os ydym am symud ymlaen ar ein pererindod ysbrydol. Yn sicr y mae Duw wedi'i ddatguddio ei hun i ni yn Iesu Grist ond, fel y mae Paul yn ein hatgoffa, gweld rhannol yw ein gweld ni. Fel y sawl a aeth o'n blaen rhaid cyrchu at y nod. Oes, y mae'n rhaid i ninnau ymgodymu â Duw. Hyderaf y bydd yr ymgais hwn o geisio "eistedd lle'r eisteddasant hwy" yn gymorth i'r darllenydd yn y dasg honno.

CYNNWYS

DOETHINEB, CANEUON A HANESION

GAIR YR ARGLWYDD

DEDDF AC ADDEWID

1. PEIDIWCH Â'M BEIO I

Adda

Darllen: Genesis 3:1-13

Myfyrdod

Peidiwch â'm beio i, nid fi sydd ar fai!
Iawn, mi wnes gamgymeriad –
Rwy'n gweld hynny'n awr,
ond ar y pryd ymddangosai'n hollol ddiniwed,
yn sicr doedd dim achos i neb gynhyrfu.
Dim ond un darn bach o ffrwyth,
felly beth yw'r ffws?
Nid fy syniad i ydoedd chwaith, dyna sy'n gwneud pethau'n waeth.
Yr hen fenyw yna oedd gwreiddyn y drwg,
yr un a roddwyd i mi'n gwmni yn ôl y sôn!
Dyna i chi gwmni. Dyna i chi gymorth!
'Tyrd yn dy flaen,' meddai, 'dim ond un darn bach. Wnaiff e ddim
drwg.'
Fe geisiais wrthod, wir i chi,
ond ni chymerai ei darbwyllo,
pryfocio,
temtio,
pwdu,
pledio,
hyd nes i mi, yn groes i'm hewyllys, ildio iddi.
Unrhyw beth am ychydig o heddwch.
Dylwn, fe ddylwn fod wedi bod yn gadarnach.
Dylwn fod wedi gwrando ar lais cydwybod,
a gwneud yr hyn a dybiwn oedd yn iawn.
Ond wnes i ddim, ac mae'n rhy hwyr bellach i ddifaru,
er fy mod yn sicr i mi gael cam.
Fe'm gwthiwyd dros y dibyn,
yn ysglyfaeth i amgylchiadau.
Cofiwch chi, dydw i ddim yn rhoi'r bai i gyd ar Efa –
yn y pen draw ar Dduw y mae'r bai.

Beth oedd ar ei feddwl, tybed,
yn rhoi'r goeden yna yng nghanol yr ardd?
Doedd dim angen gwneud hynny, does bosib?
Roedd gennym ddigonedd, yn wir mwy na digon,
felly pam gosod temtasiwn dan ein trwynau?
Gwyddai yn iawn am y peryglon –
mae'n sicr iddo rag-weld ein cwymp –
felly pa siawns oedd gennym ni yn y lle cyntaf,
pa obaith dal at y llwybr cul?
Do, fe gawsom ni gam.
Ond, er hynny,
er i mi gael fy nhrin yn annheg,
y mae un peth rwy'n addo:
chlywch chi mohonof fi yn hel esgusodion –
dim byth!

Gweddi

Arglwydd,
y mae'n anodd cydnabod ein beiau.
Y mae'n mynd yn groes i'r graen
i gydnabod i ni wneud camgymeriad.
Haws ydyw beio rhywun arall,
chwilio am resymau sy'n esgusodi'n gweithredoedd.
Ond gwyddom, Arglwydd,
ein bod yn atebol am ein gweithredoedd,
gwyddom fod yn rhaid i ni wynebu ein cyfrifoldebau.
Maddau i ni, Arglwydd,
am y troeon y bu i ni feio eraill.
Maddau i ni, am geisio twyllo ein hunain.
Maddau i ni,
fod esgusodion yn gymaint rhan ohonom
fel na sylweddolwn ein bod yn gwneud esgusodion.
Helpa ni i benderfynu'n
ddoeth a diffuant;
a phan fyddwn ni ar fai
rho ddewrder i gydnabod hynny,
a gostyngeiddrwydd i gydnabod ein dibyniaeth
ar dy ras diderfyn.

2. BETH WNES I?

Duw

Darllen: Genesis 3:14-19, 22-24

Myfyrdod
Beth wnes i?
Beth *wnes* i?
Edrychaf yn feunyddiol ar y byd a greais,
byd a fwriadwyd i fod yn hardd,
yn arbennig,
a gwelaf gasineb,
trais,
trachwant,
llygredd –
cymaint sy'n clwyfo ac anffurfio,
yn chwalu gobeithion,
yn rhwystro bywyd.
Allwch chi ddychmygu fy nheimladau,
yn gorfod byw gyda'r cyfrifoldeb hwn,
a dwyn y baich, nid dros dro yn unig,
ond i dragwyddoldeb?
Does gennych chi ddim amgyffred.
Ond, credwch fi, beth bynnag yw'r boen a ddioddefwyd gennych,
beth bynnag fo'r tristwch,
nid yw'n ddim i'w gymharu
â gwylio'ch creadigaeth yn darnio'i hunan.
Ai camgymeriad ydoedd?
Bydd rhywun yn sicr o gredu hynny, ac ni allaf eu beio.
Gallwn fod wedi eich creu fel pypedau,
pob meddwl wedi ei reoli,
pob gweithred wedi ei gyfarwyddo,
ond ai dyna fyddai eich dymuniad? –
yn analluog i feddwl a theimlo,
yn methu profi llawenydd oherwydd prinder tristwch,

yn methu profi cariad oherwydd prinder casineb,
yn methu profi gobaith oherwydd prinder ofn.
Peidiwch â dweud nad fi sydd ar fai,
wnaiff hynny mo'r tro.
Myfi a'ch creodd,
myfi a'ch dygodd i fod,
ac er mai'ch eiddo chi y camgymeriadau
fy eiddo i yw'r bai.
Ond peidiwch â meddwl i mi eich anghofio,
oherwydd, er gwell neu er gwaeth,
rwy'n dal i'ch caru,
a rwy'n bwriadu rhoi fy hunan i chi,
y cyfan sydd ynof,
hyd nes y bydd edau frau'r greadigaeth
wedi'i gwau ynghyd yn frodwaith newydd,
ac y byddwch chi a minnau yn un
yn awr a hyd byth.

Gweddi

Arglwydd pawb a phopeth,
mae'n anodd deall pam dy fod yn caniatáu
dioddefaint a thristwch,
loes a galar.
Gwelwn gasineb a drygioni,
trachwant a llygredd,
a chymaint sy'n atal dy ewyllys
a rhwystro dy bwrpas.
Y cwestiwn sy'n ein poeni, Arglwydd,
yw pa le rwyt ti yng nghanol y llanast i gyd.
Ond er na allwn bob amser ddirnad dy ewyllys,
credwn mai cariad wyt ti
ac y daw dydd yr atebir ein cwestiynau
ac y datguddir dy bwrpas.
Yn y cyfamser cynorthwya ni
i ymddiried yn dy addewidion
gan gredu dy fod ar waith yn barhaus
yn dwyn dy greadigaeth i berffeithrwydd.

3. PETAWN I OND WEDI GWRANDO

Cain

Darllen: Genesis 4:2b-10

Myfyrdod
Petawn i ond wedi gwrando,
a rhoi cyfle i'm tymer dawelu,
byddai pethau'n dra gwahanol erbyn hyn.
Ceisiodd fy rhybuddio,
ond ni wrandawn;
roeddwn wedi pwdu a dweud y gwir
a'm dicter yn drech na phob rheswm.
Ymddangosai'r sefyllfa mor annheg,
a minnau'n gwbl ddidwyll wrth offrymu –
fy nghynnyrch gorau,
wedi'i ddewis yn arbennig
ac yn ddigon da i frenin –
ac felly pan wrthododd Duw fy offrwm
roeddwn yn gandryll ac wedi fy mrifo yn fwy nag erioed.
Fe garwn i wybod beth oedd mor annerbyniol ynglŷn â'm hoffrwm i?
Pam derbyn offrwm Abel?
Roedd hi'n amlwg i mi erbyn hyn fod un rheol iddo ef
ac un wahanol i mi.
A pho fwyaf y meddyliwn am y peth, gwaetha i gyd fy hwyliau.
Mynnwn ddial a bwrw fy llid,
ac felly denais ef i'r caeau,
yn benderfynol o'i herio.
A oedd yn fwriad gennyf ei ladd?
Gwell gennyf beidio credu hynny.
Dysgu gwers iddo hwyrach,
dangos iddo pwy oedd y meistr,
ond aeth pethau dros ben llestri yn sydyn;
roeddwn yn ddall i bob rheswm,

yn wir, yn ddall i bob dim.
Doedd ganddo ddim syniad beth oedd o'i flaen.
Gosodais fy llaw ar ei ysgwydd,
heb un awgrym o ddicter,
dim ond brawd yn holi brawd.
Ond taniwyd rhyw gynddaredd ynof,
ac roedd un ergyd yn ddigon i'w lorio unwaith ac am byth.
Teimlais fod y ddedfryd arnaf yn rhy lym,
a, chredwch neu beidio, roedd gennyf ddigon o wyneb i gwyno.
Fel petawn yn haeddu gwell,
yn haeddu cydymdeimlad a thosturi.
Ychydig a freuddwydiais am y gosb oedd eto i ddod.
Bu'n rhaid i mi fyw ers y diwrnod hwnnw
yn ymwybodol o'm trosedd,
a bydd yr atgof yn parhau, tra byddaf,
i boenydio fy enaid.
Arglwydd, trugarha wrthyf.

Gweddi

O! Dduw grasol,
rwyt ti'n araf i ddigio,
yn barod i fendithio,
ac yn llawn trugaredd a chariad.
Maddau ein bod ni mor wahanol,
yn gyndyn i anghofio
ac yn amharod i drugarhau.
Maddau i ni am ganiatáu i chwerwedd reoli ein calonnau,
ac am ein heiddigedd yn wyneb llwyddiant a llawenydd eraill.
Maddau i ni ein ffolineb a'n byrbwylledd.
Helpa ni i ymwrthod ag eiddigedd
a chydnabod, er bod lle i ddicter yn ein bywyd,
fod yn rhaid i ni ei reoli,
cyn iddo ein rheoli ni!

4. PWY YDY HWN?

Noa

Darllen: Genesis 6:11-22

Myfyrdod
'Pwy ydy hwn?'
Dyna roedden nhw yn ei feddwl yn dawel fach.
A dweud y gwir ni allwn weld bai arnynt.
Wedi'r cyfan, dydy adeiladu cwch ynghanol yr anialwch
ddim yn rhywbeth sy'n digwydd bob dydd.
Hobi anghyffredin a dweud y lleiaf!
Felly, gyda hyn, wele'r dyrfa'n ymgynnull,
a dechreuodd y chwerthin–
digon chwareus a diniwed–
ond collodd ei ddiniweidrwydd ymhen ychydig amser.
Fe sylweddolwyd fy mod o ddifrif,
fy mod yn bwriadu defnyddio'r peth,
a dyna pryd y newidiodd yr awyrgylch –
dyna pryd y cychwynnodd
y coegni,
y sarhau
a'r difrïo.
'Pwy wyt ti'n credu wyt ti?' meddent.
'Tyrd lawr o gefn dy geffyl, y rhagrithiwr hunangyfiawn!'
Feiddiwn i ddim ailadrodd y cyfan a ddywedwyd;
digon yw dweud i ni orfod bod ar wyliadwriaeth drwy'r nos.
Roedd hi'n anodd, credwch chi fi,
ac yr oedd adegau lawer
pan deimlais fel rhoi'r gorau iddi
a'i mentro hi gyda'r gweddill.
Beth petawn i wedi gwnéud camgymeriad?
Beth petawn i wedi breuddwydio?
Dyna ffŵl fyddwn i wedyn.

Nid fy mwriad yw rhoi'r argraff fy mod yn dipyn o arwr,
ond, credwch chi fi, nid gwaith pleserus yw sefyll yn erbyn y llifeiriant!
Er hynny, credais fod Duw wedi llefaru,
ei fod wedi fy ngalw i ymateb mewn ffydd,
ac wrth i mi edrych o'm cwmpas –
ar gyflwr cymdeithas,
drygioni ac anghyfiawnder ym mhobman –
nid oedd ond un ffordd i ymateb.
Bu'r golygfeydd dilynol yn achos gofid a phoen personol i mi.
Cododd y gwynt a rhuodd y storm,
disgynnodd y glaw a chwyddodd y dyfroedd –
gwŷr, gwragedd, plant ym mhobman,
yn gweiddi,
sgrechian,
llefain.
Yr oedd yn ddychrynllyd,
a gweddïaf na welaf eu tebyg eto.
Beth bynnag a ddywedwch,
credaf fod calon Duw ei hun wedi torri
llawn cymaint â'm calon innau.
Pe bawn wedi ildio i'r pwysau,
cefnu ar fy egwyddorion a dilyn y dorf,
buaswn wedi dioddef yr un dynged –
myfi a'm hanwyliaid.
Roeddent yn credu fy mod yn wallgof,
wedi colli arnaf fy hun yn llwyr,
a dechreuais gredu eu bod yn iawn;
ond erbyn hyn rwy'n sylweddoli,
er mor boenus yw hynny,
fod doethineb Duw, yng ngolwg y byd,
yn rhy aml o lawer, yn ymddangos yn ffolineb.

Gweddi

O Dduw,
yn dy gariad yr wyt yn ein galw ni i weithio drosot,
ac i ffordd o fyw sy'n ein gosod ar wahân.
Nid i fod yn hunangyfiawn,

nid i fod yn anoddefgar,
ond i arddangos dy gariad mewn gwasanaeth
sy'n amlygu ei hun ym mhopeth a wnawn.
Maddau i ni am droi'n glust fyddar i'r alwad honno,
ac am gyfaddawdu yr hyn a gredwn rhag wynebu dirmyg a gwawd.
Maddau i ni am ddilyn y dorf
yn hytrach na ffordd Iesu Grist ei hun.
Llefara wrthym yn awr,
heria ein difaterwch,
a rho i ni wroldeb i fod yn wahanol.

AM FUNUD BACH

Abram

Darllen: Genesis 12:1-5a

Myfyrdod
Am funud bach, meddwn,
un funud bach i mi gael y peth yn glir yn fy mhen:
does bosib dy fod ti o ddifrif?
Braidd yn hyf efallai,
ond ar y pryd doedd gen i ddim syniad
â phwy yr oeddwn yn siarad,
dim ond yr argyhoeddiad yng nghrombil fy mod
y dylwn godi fy mhac,
a'i chychwyn hi am rywle,
a dechrau o'r newydd.
Rwy'n siŵr eich bod yn cytuno ei fod yn gofyn llawer,
ac yn ddigon i beri i ddyn feddwl eilwaith.
Ond felly y digwyddodd pethau yn fy hanes i,
llais yn fy mhen
yn gorchymyn i mi bacio fy magiau
ac anelu am yr anialwch,
ac i wlad y byddai ef yn fy arwain iddi.
Ai'r blynyddoedd a fagodd rhyw anniddigrwydd ynof, tybed?
Na, gwyddwn yn fy nghalon, er gwaetha'r amheuon,
fod Duw yn siarad â mi –
Ie, Duw mewn ffordd na fu i mi ei ddychmygu o'r blaen.
Ac fe'm cyfareddwyd,
oherwydd dyma Dduw gwahanol i'r duwiau eraill –
cadarn,
mawreddog,
dirgel –
heb ei lunio gan ein dwylo ond yn llunio ein bywydau,
nid eiddom ni i'w reoli ond yn rheoli pawb;

Duw tu hwnt i fynegiant,
yn teyrnasu dros nefoedd a daear.
Yr oedd yn wefreiddiol ac yn frawychus,
yn eiliad o addewid ac yn eiliad arswydus,
oherwydd dyma alwad i adael cartref a bywoliaeth,
codi gwreiddiau a chefnu ar y cyfarwydd –
a mentro i'r anwybod mawr.
Ydych chi'n sylwi beth oedd hyn yn ei olygu?
Roedd yn golygu dadwreiddio fy anwyliaid,
a disgwyl iddynt hwy aberthu
a chymryd y cam mewn ffydd.
Hyd yn oed pe gwyddwn y ffordd ymlaen
fe fyddai'n dipyn i'w ofyn i rywun.
Er hynny, fe gytunon nhw,
yn llawen,
heb betruster,
oherwydd iddynt, mae'n debyg,
weld rhyw oleuni yn fy llygaid,
fflam yn fy nghalon
oedd yn amhosibl ei hanwybyddu.
Bu'n daith anodd a hir,
yn llawn gofid a gwae,
ond cafwyd lliaws o fendithion hefyd,
a'r peth pwysicaf i gyd
oedd dysgu peidio ofni'r dyfodol.
Dysgais, er mor ansicr yw'r daith,
beth bynnag a ddaw,
fod yn rhaid dal i deithio,
mewn ffydd,
hyd y diwedd.

Gweddi

Arglwydd,
yr wyt yn ein gwahodd i deithio;
taith yn llawn darganfyddiadau newydd
a phrofiadau newydd o'th gariad.
Gwared ni rhag credu ein bod wedi cyrraedd pen y daith,

a chredu ein bod yn gwybod y cyfan sydd i'w wybod,
ein bod wedi disbyddu cyfoeth yr hyn yr wyt am ei ddatguddio i ni.
Agor ein llygaid i antur ffydd
ac i ddirgelion diwaelod dy bwrpas.
Helpa ni i fod yn bererinion,
yn teithio mewn ffydd fel Abram,
hyd nes cyrhaeddwn y deyrnas
yr wyt ti wedi'i pharatoi ar gyfer dy bobl.

6. ALLWN I TYBED?

Abram

Darllen: Genesis 22:1-13

Myfyrdod
Allwn i tybed –
aberthu fy mab i Dduw?
Dim byth,
mae'r syniad yn erchyll
a thu hwnt i bob dychymyg!
Fe gerais y bachgen hwnnw yn fwy na neb,
y trysor mwyaf yn fy mywyd,
ac y mae meddwl am ei drywanu
ac edrych ar y fflamau'n cau amdano
yn ormod i mi.
Felly ceisiais ddileu'r syniad,
gan obeithio a gweddïo
pan ddeuai'r amser y byddai Duw yn trugarhau,
ac yn meddwl am rywbeth arall y gallem ei aberthu.
A beth pe na bai wedi trugarhau, rwy'n eich clywed yn gofyn?
A'r ateb?
Rwy'n meddwl y byddwn wedi fy lladd fy hun,
oherwydd ni fyddai cydwybod yn caniatáu i mi fyw
pe bawn wedi niweidio fy mab.
Ond ni fu'n rhaid gwneud hynny, diolch i Dduw –
ar yr eiliad olaf gwelais gip
ar hwrdd wedi ei ddal gerfydd ei gyrn mewn drysni –
a gwyddwn mai prawf Duw arnaf oedd hyn i gyd,
mesur maint fy ymroddiad
a dyfnder fy ffydd.
Ond anghofia i fyth wyneb fy mab –
ofn,
dryswch,
anghrediniaeth,

wrth i mi sefyll uwch ei ben â chyllell yn fy llaw.
Rwy'n credu fy mod yn crynu'n fwy nag ef!
Beth bynnag, chwerthin wnaethon ni wedyn,
cymryd y peth fel tipyn o jôc,
a, diolch byth, fe'm credodd –
neu roi'r argraff ei fod yn credu.
Cofiwch, fe gymerodd dipyn o amser cyn i mi fedru
edrych i fyw ei lygaid,
ac ni ddywedais yr un gair wrth Sara nac wrth Isaac.
Mae'n ymddangos i mi lwyddo yn y prawf
ac i Dduw fy mendithio'n llawer mwy na'm haeddiant.
Eto, gwn yn fy nghalon,
ac rwy'n sicr ei fod ef yn gwybod hefyd,
fy mod, er yn ei garu ef yn angerddol,
yn caru fy mab yn fwy.
Mae gennyf le i ddiolch fod Duw, yn ei drugaredd, wedi deall;
fe'm gwthiodd hyd yr eithaf ond nid dros y dibyn.
Un peth yw cynnig eich cariad
ond peth arall yw rhoi eich mab eich hunan –
does bosib y gall neb garu digon i wneud hynny!

Gweddi

O Dduw grasol,
gelwaist ni i fywyd o hunanaberth
a gwasanaeth i ti.
Gwyddost am ein gwendidau
ac mor anodd yw offrymu ychydig, heb sôn am lawer.
Diolchwn dy fod, yn dy drugaredd
yn dod atom drwy dy unig Fab,
y Gair a ddaeth yn gnawd,
a'i roi yn aberth drosom ar y Groes.
O Dad trugarog,
moliannwn di am y cariad nad oes iddo derfynau,
a roes y cyfan,
er mwyn i ni gael bywyd yn ei gyflawnder.
Derbyn ein haddoliad
a chysegra ni i'th wasanaeth.

7. RWY'N CYFADDEF MAI FFŴL OEDDWN

Esau

Darllen: Genesis 25:29-30; 27:30-38

Myfyrdod

Rwy'n cyfaddef mai ffŵl oeddwn.
Nid yw'n hawdd cydnabod hynny,
oherwydd rwy'n dal i deimlo'n ddig,
yn chwerw hyd yn oed –
wedi fy nhwyllo a'm hamddifadu o'm hetifeddiaeth –
ond derbyniais fy haeddiant a chanlyniadau fy ffolineb fy hun.
Mae'n debyg bod elfen o ddiniweidrwydd yn hyn
a chryn dipyn o ymddiriedaeth blentynnaidd, mae'n siŵr gen i.
Beth bynnag, bu'n ddigon i rywrai weld eu cyfle i fanteisio.
Roedd gen i bopeth a ddymunwn –
myfi oedd i etifeddu'r cyfan;
roedd y dyfodol yn olau ac wedi ei warantu i bob golwg,
a beth wnes i?
Teflais y cwbl am fowlenaid o gawl!
Sôn am daflu perlau o flaen y moch!
Dyna i chi beth oedd twpdra,
anfaddeuol,
ond roeddwn bron â llwgu'r bore hwnnw
a llenwais fy mol gyda'r unig beth oedd o bwys ar y pryd.
Dyma gyfnewid fy ngenedigaeth fraint am eiliad o foddhad.
Cael fy nefnyddio? Do, yn bendant!
Ni welwn ddim bai arnoch am ystyried fy mrawd
fel hen gythraul bach cynllwyngar.
Ond deallodd hwnnw yn well na mi
yr hyn sy'n cyfrif mewn gwirionedd.
Tra mod i yn canolbwyntio ar fy stumog
edrychodd ef i'r dyfodol,
y naill lygad ar heddiw a'r llall ar yfory.

Credais i mi setlo'r broblem y bore hwnnw y galwodd fy nhad arnaf
ac addo ei fendith i mi.
Dyma'r cyfle y bûm i yn ei ddisgwyl.
Prysurais yn llawn cyffro a gobaith
i baratoi'r pryd bwyd y gofynnodd amdano.
Dylwn fod wedi sylwi ar yr edrychiad yn llygad fy mam–
hen olwg ddichellgar –
ond wnes i ddim;
a'r eiliad y troais fy nghefn, gwelodd fy mrawd ei gyfle
i daflu'r llwch i lygaid fy nhad yn hollol ddigywilydd.
Hen dric sâl;
bu bron yn ddigon i'r hen ŵr,
a phan ddeallais beth ddigwyddodd
roeddwn yn berwi ac yn benderfynol o dalu'r pwyth yn ôl.
Duw a ŵyr, byddwn wedi ei ladd pe bawn wedi cael hanner cyfle,
ei ddatgymalu, un cymal ar y tro heb ronyn o gydwybod,
ond gwyddai pe bai'n diflannu am dipyn y buaswn yn meirioli
ac, yn wir i chi, dyna ddigwyddodd.
Galwch fi'n ffŵl os mynnwch,
ond pan sleifiodd yn ôl i'm cyfarfod flynyddoedd yn ddiweddarach,
a'i gynffon rhwng ei goesau,
doedd gen i ddim o'r galon i'w wrthod
oherwydd fy mrawd ydoedd wedi'r cyfan.
Ydy, mae'r hen fusnes yn dal i gorddi ynof hyd heddiw –
meddwl am yr hyn a allai fod
ac am yr hyn y gallwn fod wedi ei gael,
ond yr oedd yno o fewn fy ngafael
a gollyngais y cyfan,
trysor amhrisiadwy yn llithro drwy fy mysedd.
Dangosodd ef fwy o awydd amdano,
gan osod ei lygaid nid ar bleser dros dro
ond ar addewid dragwyddol,
ac er mor anodd yw cydnabod,
mae'r gwahaniaeth hwnnw rhyngom yn dweud y cyfan.

Gweddi

Arglwydd,
rhoddaist gymaint i ni ei fwynhau –

byd yn llawn amrywiaeth a chyfaredd.
Diolchwn i ti am y cyfan
sy'n rhoi pleser,
sy'n diddori ac yn cyffroi
ac sy'n llenwi ein meddyliau â rhyfeddod
a'n calonnau â llawenydd.
Dysg i ni werthfawrogi yr hyn a roddaist i ni.
Ond dysg i ni hefyd sylweddoli yr hyn sy'n cyfrif fwyaf i gyd,
y pethau hynny sy'n diwallu yr enaid
yn ogystal â'r corff.
Helpa ni i geisio dy fendith
ac i ddangos newyn am dy deyrnas;
a gwna ni'n benderfynol o gyrchu at y nod.

8. DOD 'NÔL AR FY MHEN I'R DDAEAR

Jacob

Darllen: Genesis 28:10-17

Myfyrdod

Dod 'nôl ar fy mhen i'r ddaear,
dyna ddigwyddodd i mi neithiwr,
a hynny yn rhyfedd iawn drwy gael gweledigaeth o'r nefoedd!
Roeddwn yn teimlo mor hunanfodlon,
a minnau wedi sicrhau etifeddiaeth fy mreuddwydion.
Neu felly y tybiais i.
Ond, yn sydyn, wrth droi a throsi ar fy nhipyn gobennydd
gwawriodd y gwirionedd dychrynllyd arnaf
fod y brad a'r twyllo i gyd yn ofer.
Nid oedd y fendith a geisiais ei dwyn
yn ddim o'i chymharu â'r cyfoeth a welais y noson honno,
bendith Duw ei hunan,
Arglwydd nef a daear.
Doeddwn i ddim wedi meddwl llawer amdano cyn hynny;
doedd a wnelo'r busnes ffydd yma fawr ddim â'm bywyd bob dydd –
ond yng ngweledigaeth y noson honno teimlais ef yn agos,
yn herio,
ac yn fy ngalw i gyfrif –
dyma beth oedd dydd o brysur bwyso annisgwyl.
Credais y gallwn reoli'r dyfodol,
llywio fy nhynged fy hun,
ond yn awr sylweddolais na allwn.
Credais fod cyfoeth a llwyddiant yn gyfystyr â hapusrwydd,
ond nid mwyach.
Credais y gallwn wneud fel y mynnwn
heb boeni am y canlyniadau,
ond y noson honno cododd cydwybod ei lais.
Rhyw foment annaearol ydoedd,

iasol a dychrynllyd,
moment yn gymysg o lawenydd a chywilydd,
oherwydd yr oeddwn bellach yn noeth gerbron Duw.
Yr oedd ffolineb fy ngweithredoedd,
fy ngweledigaeth gyfyng, wedi eu dinoethi
a'm bywyd wedi newid am byth.
'Nôl i'r ddaear go iawn,
a phopeth a gredais i mi gyflawni
yn ymddangos yn ddim.
Ond fe ddywedaf un peth:
gadewais y lle hwnnw'n llawenhau
a'm hysbryd yn llamu,
oherwydd cyffyrddodd rhyfeddod gras â mi
a deuthum wyneb yn wyneb â'r Duw
sydd nid yn unig yn ein darostwng
ond yn ein dyrchafu y tu hwnt i bob dychymyg.

Gweddi
Arglwydd,
tueddwn i ddilyn y freuddwyd wag
y freuddwyd nad oes gobaith iddi ein diwallu.
Mae gennym argyhoeddiadau mawr am bethau bach
tra bo'n heneidiau yn newynu ynom.
Dyro olwg ar dy deyrnas a'th ogoniant
a phlanna ynom newyn a syched am y gwirionedd.
Dyro i ni ostyngeiddrwydd fel y cawn, drwy dy ras,
ein codi i'r uchelion.

9. ROEDD E'N BENWAN

Rachel

Darllen: Genesis 29:16-23, 25-28, 30

Myfyrdod

Roedd e'n benwan pan glywodd,
yn waeth nag y gwelais ef erioed,
a doedd dim bai arno.
Hen dric sâl ydoedd –
tric a allai fod wedi cau pen y mwdwl ar ddyfodol pawb,
nid yn unig fy nyfodol i –
a phan sylweddolais beth oedd yn digwydd
roeddwn yn wirioneddol flin
ac ymbiliais arnynt yn ofer i ailfeddwl.
Jacob druan, fe gafodd dipyn o sioc,
yn dihuno'r bore hwnnw
ac yn darganfod fy chwaer yn gorwedd yno yn fy lle i.
A Lea druan,
beth roedd hi'n ei feddwl, tybed,
wrth weld y siom yn ei lygaid.
Roedd hi yn ei garu
llawn cymaint â mi,
ac yn addoli'r ddaear y safai arni.
Roedd y cynllwyn, yn naturiol, wrth fodd fy chwaer
ac yn gwireddu breuddwyd iddi.
Teimlais yn flin drosti wedi hynny
oherwydd byddai wedi gwneud unrhyw beth
i'w weld yn gwenu
neu brofi cusan dyner ganddo;
ond fi oedd gwrthrych ei serch, mae'n amlwg,
ac fe'i twyllwyd yn greulon.
Bu'n gweithio am saith mlynedd i mi,
saith mlynedd o slafio di-baid –

ac, er bod fy nhad yn dasgfeistr didrugaredd,
cyflawnodd fy nghariad y gwaith o wirfodd calon
gan ddyheu am yr awr y caem fod gyda'n gilydd
yn ŵr a gwraig o'r diwedd.
Dygwyd y cyfle o'i afael,
ac ofnais y canlyniadau
a'r perygl y gallai gefnu arnaf
a chwalu'r freuddwyd fu rhyngom.
Ond na:
addawodd y byddai'n aros,
yn union fel y gobeithiodd fy nhad,
saith mlynedd arall o slafio er fy mwyn i –
allai unrhyw ferch ofyn am fwy?
Yr oedd yn chwerw iawn wedi hynny
ac yn benderfynol o ddial,
ac ni allwn weld bai arno, a dweud y gwir,
oherwydd roeddwn innau yn ogystal wedi fy mrifo.
Ond wyddoch chi beth? Digwyddodd rhywbeth rhyfedd ddoe.
Yr oedd y ddau ohonom yn cydgerdded
ac yn hel atgofion,
a digwyddais sôn am y noson dyngedfennol honno,
pan dwyllwyd ef i gamgymryd Lea amdanaf i –
ac yna'n derbyn yr esgus tila
ynglŷn â hawliau'r cyntaf-anedig.
Pryfocio roeddwn i,
tipyn o dynnu coes diniwed,
ond dyma Joseff yn edrych arnaf,
a golwg fel petai rhyw oleuni wedi gwawrio arno o rywle,
rhyw ddirgelwch wedi ei ddatrys.
Cododd ei ben a chwarddodd nes bod dagrau'n diferu i lawr ei ruddiau.
Mae'n amlwg ei fod wedi deall rhywbeth o'r diwedd.
Gwelodd y jôc na fwriadwyd gennyf fi,
yn union fel petai Duw yn cael y gair olaf.
A fedrwch chi ei gweld hi?
Fe fyddai'n dda gennyf pe bawn i yn medru ei gweld hi.

Gweddi

Arglwydd,
mae'n ymddangos fod bywyd yn annheg weithiau,
a bod y rhai sy'n wfftio dy ewyllys yn llwyddo
tra bo'r ffyddloniaid yn cael cam.
Gwyddom na ddylai hyn ein poeni ni –
fod ein trysor yn y nefoedd
yn hytrach nag ar y ddaear;
eto y mae'n hawdd teimlo'n rhwystredig ac yn chwerw
yn wyneb yr anghyfiawnder ymddangosiadol.
Maddau i ni am feddwl fel hyn,
ac yn fwy na dim am dy amau di.
Dysg i ni ddeall, pwy bynnag ydym,
fod canlyniadau i bob gweithred o'n heiddo,
ac felly helpa ni i fyw yn ffyddlon fel pobl i ti.
Rho i ni lawenhau am y bendithion a gafwyd
ac wrth feddwl am y llawenydd sydd eto i ddod.

10. DOEDDWN I DDIM YN EI HAEDDU

Jacob

Darllen: Genesis 32:9-12, 22-31

Myfyrdod
Doeddwn i ddim yn ei haeddu,
doedd dim rheswm i Dduw fy mendithio.
Doedd dim cwestiwn o dwyllo fy hun ynglŷn â hynny.
Gwyddwn mai twyllwr dauwynebog oeddwn,
ond roedd cymaint o fai ar Dduw am hynny
oherwydd ef a'm creodd yn y lle cyntaf.
Felly, tybiais fod arno rywbeth i mi –
rhan yn ei bwrpas,
cyfran o'i addewid.
Ond fe dybiodd ef fy mod innau yn ei ddyled yntau –
ufudd-dod,
addoliad,
ffydd.
Roedd y canlyniad yn anochel –
rhywle,
rhywbryd,
roedd yn rhaid i ni wrthdaro
a setlo'r mater unwaith ac am byth.
A dyna ddigwyddodd,
un noson oer wrth ryd Jacob,
noson nad â'n angof tra byddaf fyw.
A ddigwyddodd hyn i gyd?
Dydw i ddim yn siŵr.
Hwyrach mai breuddwyd ydoedd,
gweledigaeth efallai,
argyfwng cydwybod,
ond, yn sydyn,
rhwystrodd y dieithryn fy llwybr,

yn fy herio i fynd heibio –
a bûm yn ymgodymu ag ef am oriau.
Ai fi a orfu?
Credais hynny ar y pryd
gan wrthod gollwng gafael arno nes iddo fy mendithio.
Sylweddolais, maes o law, y gallai fod wedi fy nifetha,
pe byddai wedi dymuno hynny,
a'm taflu naill ochr heb feddwl ddwywaith amdanaf.
Rhoi prawf ar fy mhenderfyniad oedd y bwriad,
asesu fy ymroddiad,
mesur fy nyfalbarhad gyda golwg ar y dyfodol.
Os oeddwn i yn barod i chwarae fy rhan
chwaraeai ef ei ran yntau.
Gwyddwn bellach fod yr hyn a dybiais yn gywir.
Bûm yn ymgodymu â Duw,
a mi fy hunan,
ymgodymu â'm hamheuon a'm hofnau,
ymdrechu yn erbyn fy nhrachwant,
brwydro â'm henaid cythryblus.
Gallwn fod wedi troi ar fy sawdl, wrth gwrs,
ac anwybyddu'r her,
ond daeth cyfnod y rhedeg i ffwrdd i ben –
roeddwn wyneb yn wyneb â Duw,
wyneb yn wyneb â mi fy hunan –
daeth amser penderfynu.
Newidiodd y foment honno fy mywyd.
Bu'n gychwyn newydd.
Digon gwir, fe'm clwyfwyd,
ond profais lawnder na wyddwn ddim amdano o'r blaen,
amhosibl ei ddisgrifio –
iechyd corff, meddwl ac ysbryd –
y cyfan, o'r diwedd!

Gweddi
O Dduw grasol,
creaist ni ar dy ddelw dy hun
i fwynhau perthynas fyw â thi dy hun.

Ac er ein bod yn aml iawn yn methu,
yr wyt yn parhau i estyn dy law,
ac yn dyheu i chwalu'r canolfuriau sydd yn ein gwahanu.
Dy ddymuniad yw ein galw ni yn blant i ti.
Does gennym ni ddim hawl ar dy gariad
nac unrhyw reswm dros gredu i ni dy haeddu.
Maddau ein bod o bryd i'w gilydd yn anghofio'r gwirionedd hwnnw
gan gredu ein bod yn well nag yr ydym mewn gwirionedd.
Dysg i ni wynebu ein hunain yn agored ac yn onest,
i ymgodymu â gwirioneddau llym ein bywyd
a dirgelion eang ein ffydd;
uwchlaw popeth, dysg i ni sylweddoli
ein dibyniaeth ar dy ras diderfyn.

11. AI COSB YDOEDD?

Jacob

Darllen: Genesis 37:3-4, 12-13a, 14, 17b-20, 22-24a, 26-28, 31-35

Myfyrdod
Ai cosb ydoedd am gamgymeriadau'r gorffennol –
Duw yn dial
am i mi dwyllo a chynllwynio
i sicrhau ei fendith?
Dyna gredais i ar y pryd,
pan ddaeth fy mechgyn adref
a'r dagrau'n llifo ar eu gruddiau.
Credais y gwaethaf yn syth,
suddodd fy nghalon.
Os mynnwch, cewch fy ngalw'n hygoelus,
ond doedd gen i ddim rheswm i amau eu gair.
Fe gofiwch iddynt ddangos ei wisg i mi
a honno'n garpiau ac yn diferu o waed.
Credais yn syth fod bwystfil
wedi ei larpio'n ddarnau mân.
Gwn iddynt anghytuno
a hyd yn oed ymladd â'i gilydd yn achlysurol,
ond y mae hynny'n rhan o'r broses o dyfu, siŵr o fod.
Mae'n rhaid eu bod yn sylweddoli ei fod yn hollol ddiniwed,
er gwaetha'r breuddwydion gwirion a'i agwedd hunandybus ar adegau.
Doedd gen i ddim syniad eu bod yn ei gasáu,
heb sôn am gredu y byddent yn ystyried ei ladd;
felly, pan glywais eu stori,
er mawr alar i mi,
bu'n rhaid i mi gredu.
Roedd hi'n ymddangos mai dyma oedd dydd y farn i mi.
Ond ni ddylwn fod wedi beio Duw,

na'r brodyr pe bai'n dod i hynny –
Na, fi fy hun,
fi oedd gwreiddyn y drwg.
Roeddwn wedi ei ddifetha'n lân
o'r dechrau'n deg,
ei wthio i'r tu blaen,
ei annog
a'i borthi.
Allwch chi gredu hynny? –
fi o bawb yn gwneud y fath gamgymeriad,
wedi i 'nhad wirioni ar Esau
a Mam heb amser i neb ond fi!
Roedd yr holl ffafriaeth wedi'n rhwygo fel teulu,
esgorodd yr had a heuwyd ar gynhaeaf chwerw
a bu farw'r ddau wedi torri eu calonnau,
yn hiraethu am yr hyn a allai fod.
Dylwn fod wedi dysgu'r wers,
cofio'r chwerwder a'r dicter a achoswyd.
Ond yr oeddwn yn ddall i'r cyfan,
a buan iawn y trodd y rhod.
Sylweddolais gyda hyn
mai priodol iawn oedd i mi, yn fy nhro, gael fy nhwyllo
ac ni allwn ddadlau pe bai'r crwt yn gelain.
Yr oeddwn wedi haeddu'r gosb am bopeth a wnes;
doedd dim dedfryd rhy lym yn bod.
Eto bu Duw yn rasol.
Er i'r gorffennol a'i ffolinebau
ddychwelyd i'm blino,
nid ar y gorffennol yr oedd meddwl Duw,
ond ar y dyfodol!

Gweddi

Arglwydd,
mae'n anodd dianc rhag y gorffennol.
Y mae wedi llywio ein bywydau
a'n gwneud yr hyn ydym heddiw.
Ac er bod llwyddiannau

y mae yna hefyd gamgymeriadau,
llawer ohonynt yn dal i'n blino.
Mae'n anodd maddau,
mae'n anodd anghofio'r methiannau
a dechrau o'r newydd.
Ond Duw'r dyfodol wyt ti,
bob amser yn barod i anghofio'r hyn a fu
a'n harwain i'r hyn a fydd.
Duw'r dechreuadau newydd wyt ti;
gobaith newydd a bywyd newydd.
Helpa ni i sylweddoli ystyr hyn i gyd
ac i dderbyn pob dydd yn rhodd
i'w fyw hyd yr eithaf.

12. CEFAIS FY NHEMTIO YN SICR

Joseff

Darllen: Genesis 39:6b-20

Myfyrdod

Cefais fy nhemtio yn sicr!
Roedd hi'n hynod o ddeniadol,
soffistigedig,
rhywiol,
a minnau yn ŵr ifanc yn anterth fy nyddiau
wedi gwirioni ar y sylw a gefais ganddi.
Teimlwn fy nghalon yn cyflymu,
fy nwylo'n chwysu gan gymaint yr awydd,
a'm corff yn gweiddi arnaf i ildio.
Ond, er gwaethaf fy hunan, ni allwn,
a hynny nid er fy lles fy hunan
ond hefyd er ei lles hithau.
Yng ngwres y funud fe fyddai wedi bod yn brofiad pleserus,
ond wedyn fe ddeuai'r euogrwydd,
y difaru,
y twyll
ac, wrth gwrs, y gosb!
Roedd hi'n briod,
gwraig fy meistr,
ac roedd yr addunedau a wnaeth yn gysegredig,
pwy bynnag neu beth bynnag oedd ei duw.
Felly, fe'i gwrthodais, dro ar ôl tro,
gan gadw fy mhellter gorau gallwn.
Ond ni chymerai 'na' yn ateb,
gan aros yn amyneddgar am ei chyfle.
Dylwn fod wedi rhag-weld hyn, mae'n debyg,
oherwydd gwyddwn fy mod wedi pechu yn ei herbyn –
roedd hynny'n berffaith amlwg –

ond ni chredais y gallai fod mor benderfynol.
Roedd hi'n agos iawn yn y diwedd,
rhy agos a dweud y gwir,
ac os na chollais fy niweirdeb fe gollais fy nillad.
Yn wir, collais fwy na'm dillad y diwrnod hwnnw:
collais fy rhyddid,
fy swydd,
fy enw da,
oherwydd bu'n benderfynol o ddial
drwy roi'r bai i gyd arnaf fi.
Ond beth bynnag a gollais, cedwais lawer mwy:
fy ngonestrwydd,
fy hunan-barch
ac yn bennaf oll fy ffydd.
Pris gwerth ei dalu siŵr o fod!

Gweddi
Arglwydd trugarog,
gwyddost beth yw cael dy demtio,
gwisgaist gnawd
a gwybod beth yw bod yn wan ac yn fregus
fel nyni.
Gwyddost beth yw colli'r cyfan,
oherwydd rhoddaist dy unig Fab
er mwyn y byd.
Daethost yn dlawd er ein mwyn ni,
ac er i ti ddarostwng dy hun
a dioddef gwawd a sen
gwrthodaist gyfaddawdu.
Helpa ninnau i ddal ein tir doed a ddelo.
Yn wyneb temtasiynau
dysg ni i gadw'n golwg arnat ti yn hytrach nag arnom ein hunain.
Dangos i ni dy ffyrdd, Arglwydd,
a helpa ni i rodio ynddynt
nawr a hyd byth.

13. DIM BYTH, MEDDWN

Joseff

Darllen: Genesis 42:6-9, 15-16a, 21, 23-24a; 45:1-3, 14-15

Myfyrdod

Dim byth, meddwn –
dim byth yma yn yr Aifft,
nid fy mrodyr coll,
does bosib!
Ond wir, credwch neu beidio,
dyna lle'r oeddent,
yn ymgrymu o'm blaen,
yn talu gwrogaeth i mi.
Yr oedd yn olygfa ryfeddol
a bu bron i mi dorri lawr yn fy nagrau
gan gymaint fy nheimladau.
Ond allwn i ddim,
dim eto, beth bynnag,
o ystyried beth wnaethon nhw i mi.
Gallwch chi ddychmygu fy nheimladau,
a'm brodyr wedi ceisio fy lladd?
Condemniwyd fi i flynyddoedd o gaethwasiaeth
mewn gwlad bell a diarth.
Rwy'n cydnabod nad oeddwn heb fy mai.
Y mae Duw yn gwybod i mi achosi digon o ofid i bobl
gyda'r breuddwydion hynny –
hyd yn oed os oeddent yn cael eu gwireddu
yn y fan a'r lle o flaen fy llygaid.
Er y gallwn ddeall yr hyn y ceision nhw ei wneud,
ni allwn eu hesgusodi
am fradwriaeth mor ddieflig â hynny.
Felly fe ddeallwch mai rheidrwydd arnaf oedd rhoi prawf arnynt,
a gweld a oeddent wedi dysgu eu gwers ai peidio.

Bu'n rhaid iddynt chwysu, a dweud y lleiaf,
a'r olwg ar eu hwynebau yn llefaru cyfrolau,
a phan ymddangosodd y cwpan hwnnw yn sach Benjamin,
dylech fod wedi gweld eu hwynebau –
gallech daeru fod eu byd wedi cau amdanynt.
Doedd dim amheuaeth wedi hynny;
roedd eu diffuantrwydd yn amlwg.
Ond roedd yn rhaid i mi fod yn siŵr,
felly daliais ati am ychydig eto,
i boeni
a phryfocio
nes bod chwys yn tasgu lawr eu gruddiau
a hwythau'n ymbil am drugaredd.
Y sôn am fy nhad a'i gwnaeth hi –
pan glywais gymaint bu iddo ddioddef.
Torrais i lawr y pryd hwnnw,
holl boen y blynyddoedd unig yn codi o'r dyfnderoedd,
ac wrth i'r gwirionedd wawrio arnynt
a thorri drwy eu heuogrwydd,
dyma gofleidio'n gilydd,
y chwerthin yn gymysg â'r dagrau
a'r hen elyniaeth wedi ei hanghofio.
Ai felly roedd pethau i fod, tybed?
Ai felly y bwriadodd Duw i bethau fod?
Mae'n anodd credu hynny rywsut –
gormod o gwestiynau heb eu hateb –
eto fe ddywedaf gymaint â hyn:
nid fy mrodyr yn unig a newidiodd y diwrnod hwnnw;
roeddwn innau wedi newid llawn cymaint â hwy.
Bellach roedd bywyd yn felysach ac yn gyfoethocach
nag a ddychmygwyd gennym erioed;
yn wir, er gwaetha'r cyfan a brofwyd,
roedd y cyfan bellach yn gwneud synnwyr.

Gweddi

Arglwydd,
yn aml ni fyddwn yn deall beth sy'n digwydd i ni.
Bydd amgylchiadau'n cael y trechaf arnom
ac edrychwn am ystyr i'r cyfan.
Cyfaddefwn ein bod yn dy deimlo di'n bell iawn ar adegau felly.
Eto, yr wyt ti yno er na allwn dy weld,
yn gweu edafedd brau ein bywyd yn frodwaith cymhleth.
Dysg ni, felly, i ymddiried ynot ac i fyw mewn ffydd
hyd nes y bydd y darlun yn gyflawn
a ninnau'n cael deall
holl droeon yr yrfa i gyd.

14. ROEDDENT YN EIN CASÂU

Caethwas Hebreig

Darllen: Ecsodus 1:8-16

Myfyrdod

Roeddent yn ein casáu,
nid am i ni wneud dim o'i le,
ond am ein bod yn wahanol –
diwylliant gwahanol,
ffydd wahanol,
hil wahanol.
Yr oedd mor syml â hynny.
Mewnfudwyr, dyna'r enw a gawsom – a gwaeth!
Da i ddim, dynion diog yn godro'r wladwriaeth,
yn dwyn eu merched
yn ogystal â'u gwaith.
Pobl yn dwyn eu cyfoeth a'u gwlad oeddem ni yn eu golwg.
Ffwlbri oedd y cyfan, wrth gwrs,
ac fe wyddai pawb hynny –
roeddem yn rhan annatod o'u gwlad erbyn hyn
a'n bywydau yn gweu i'w gilydd.
Ac er ein bod yn dilyn ein ffydd ein hunain
ac yn addoli ein Duw ein hunain
roeddem yn ddinasyddion ffyddlon ac ufudd.
O! fe wyddent hynny yn iawn
ond fe ddewison nhw anghofio,
oherwydd roedd yn rhaid beio rhywun am eu trafferthion –
rhywun i'w erlid,
rhywun i'w gasáu,
rhywun i'w glwyfo –
a ninnau a ddewiswyd.
Beth ddigwyddodd? Chredwch chi fyth!
Pethau rhy erchyll i'w crybwyll!

Ac eto pobl gyffredin oeddent,
cyffredin iawn fel chi a minnau;
pobl yr oeddem wedi cydgerdded gyda hwy
siarad â hwy,
gweithio a chwerthin gyda hwynt,
yn sydyn yn fwystfilod creulon a didrugaredd.
Heddiw yr oeddem yn ddynol,
yfory yn bethau;
heddiw yn gyfeillion,
yfory yn elynion.
Pwy a gredai y gallai'r sefyllfa fod wedi newid mor sydyn,
a'n bywyd wedi ei droi wyneb i waered?
Roeddem yn wahanol, dyna i gyd,
iaith wahanol,
cred wahanol,
ond er hynny yn bobl o gig a gwaed yr un fath â nhw.
Roeddwn i'n credu fod hynny'n cyfrif,
fod mwy yn ein huno nag oedd yn ein gwahanu,
ond roeddwn yn anghywir, mae'n amlwg.
Ai Duw oedd i'w feio?
Dyna a gredais ar y pryd,
gan ofyn i mi fy hunan bob dydd
sut y gallai ganiatáu'r fath sefyllfa?
Roedd hyn yn fy mhoeni
llawn cymaint â'r dioddefaint ei hun.
Roedd hi'n anodd dal gafael ar fy ffydd.
Ond nid ar Dduw roedd y bai, rwy'n gwybod hynny'n awr –
ar ddyn roedd y bai,
dyn mewn ffordd na ddychmygais y gallai fod;
un dyn yn difetha un arall,
a bywyd yn cyfrif am ddim –
dyna sy'n fy mlino yn fwy na dim.

Gweddi

Arglwydd,
gwnaethost ni i gyd yn wahanol,
cymeriadau gwahanol, doniau gwahanol,

amrywiol ein barn ac amrywiol ein gweledigaeth.
Eto creaist ni oll
ar dy ddelw,
ac yn werthfawr yn dy olwg.
Maddau i ni am ganiatáu i'n gwahaniaethau ddod rhyngom
yn hytrach na'n tynnu at ein gilydd;
am i ni ystyried ein gwahaniaethau fel bygythiad yn hytrach na rhodd.
Dysg i ni edrych arnom ein hunain ac ar eraill
trwy dy lygaid di,
gweld y da a'r drwg,
yr hardd a'r hagr,
y cryfderau a'r gwendidau,
y gwirionedd a'r celwydd,
ac eto gweld ein dynoliaeth gyffredin.
Agor ein calonnau a'n meddyliau i'n gilydd,
Ond yn fwy na dim i ti.

15. NI ALLAF, ARGLWYDD

Moses

Darllen: Ecsodus 3:1-15

Myfyrdod

Ni allaf, Arglwydd,
amhosibl!
Dyna yr oeddwn yn ei gredu,
a dyna, ymhen amser, a ddywedais wrtho.
Iawn, rwy'n cyfaddef, fe gymerodd dipyn o amser i mi ddweud hynny
wrtho,
ond a fyddech chi wedi gwneud yn wahanol?
Nid yw'n hawdd dweud 'na' pan fo Duw yn gofyn.
Felly dyma hemian a hymian am dipyn
yn y gobaith y byddai'n gweld rheswm
a sylweddoli ei fod yn gofyn gormod.
Roedd gennyf reswm digonol –
doeddwn i ddim yn siaradwr dawnus am un peth,
a gwyddwn y buaswn yn nerfau i gyd
gerbron Pharo!
Beth bynnag, pam y dylai hwnnw wrando arnaf fi,
neu unrhyw un arall pe bai'n dod i hynny?
Fe oedd wrth y llyw
ac yn creu'r rheolau,
felly pam gwrando arnaf fi o bawb?
Ond teimlwn y byddai fy hanes yn fwy o rwystr na dim.
Fe gofiwch i mi ladd rhywun yn yr Aifft,
ei daro a'i gladdu yn y tywod.
Ac er y gallwn geisio cyfiawnhau fy hun,
gwyddwn mai llofruddiaeth ydoedd,
a phe bai tystion yno ar y pryd
beth fyddai fy stori erbyn hyn?
Gallai hyn fod yn ddiwedd i mi.

Felly pan euthum yn brin o esgusodion
dyma ddweud wrtho ar ei ben:
'Nid fi, Arglwydd, chwilia am rywun arall.'
Ond wyddoch chi beth?
Roedd e'n barod amdani,
yn barod â'i ateb i bob esgus a gyflwynwn.
Doedd gennyf ddim dewis.
Na, doeddwn i ddim yn chwennych wynebu Pharo,
ond roedd y syniad o wynebu Duw,
a minnau wedi gweithredu'n groes i'w ewyllys,
yn apelio dipyn yn llai.
Ond wyddoch chi beth eto?
Doedd dim angen i mi fod wedi poeni,
oherwydd rhoddodd y geiriau i mi pan oedd eu hangen,
yn ogystal â nerth i wynebu'r dydd.
Euthum at Pharo nid unwaith,
ond dengwaith,
mor ddigynnwrf ag y gallai rhywun fod
gyda'r un neges bob tro: 'Gad fy mhobl yn rhydd!'
Ac, yn y diwedd, fe ildiodd yr unben,
gan fethu'n lân â brwydro mwyach yn erbyn y Duw byw.
Fe olygodd dipyn i mi fedru sefyll yno,
ond pan fydd Duw yn galw eto,
pa mor ddigalon bynnag fydd y rhagolygon,
fydd dim angen meddwl eilwaith.
Gwn yn awr, beth bynnag a ofyn yr Arglwydd gennych,
fe fydd mwy na digon o gymorth ar eich cyfer.

Gweddi

Arglwydd,
Hawdd yw digalonni wrth wynebu'r gwaith sydd yn ein hwynebu.
Teimlwn mor annigonol
ac analluog i ymdopi.
Teimlwn nad oes gennym ddoniau na'r nerth i gyflawni'r gwaith.
Eto yr wyt ti wedi addo dy gymorth i ni.
Diolch dy fod ti yn rhoi dy ysbryd ynom
ac yn estyn dy law i'n harwain.

Ysbrydola ni, i ymateb mewn ffydd
gan wybod na fydd yr un orchwyl yn ormod i ni
a thithau gerllaw i'n helpu.

16. ROEDDWN YN BAROD I ROI'R FFIDIL YN Y TO

Moses

Darllen: Ecsodus 11:1, 4-10

Myfyrdod

Roeddwn yn barod i roi'r ffidil yn y to,
rhoi'r gorau i'r cyfan unwaith ac am byth.
Beth arall gallwn i ei wneud?
Roeddwn wedi gwneud fy ngorau –
rhoi'r cyfan fel y gofynnodd Duw –
ond er gwaetha'r cyfan,
fy ngeiriau i
a'i arwyddion ef,
roedd yn amlwg nad oedd yn ddigon.
Cyndyn iawn roeddwn i ymhél â'r busnes o'r cychwyn
Er hynny, daliais ati
yn benderfynol o wneud fy rhan.
Ond erbyn hynny doeddwn i ddim mor siŵr,
oherwydd codwyd fy ngobeithion droeon
dim ond i'r cyfan chwalu o dan fy nhrwyn cyn i mi droi.
A allwn ddioddef rhagor?
Hwyrach mai camgymeriad oedd y cyfan.
Mae'n bosibl nad oedd Duw am fy nefnyddio wedi'r cwbl.
Tybed a ddywedais y pethau anghywir,
rhoi'r neges anghywir,
dilyn y trywydd anghywir –
pwy allai ddweud?
Beth bynnag, roeddwn wedi cael digon;
wedi'r cyfan, faint all dyn ei gymryd?
Eto ni allwn ddianc rhag ei alwad.
Yr oedd yn fy annog
yn ôl i'r un lle

gyda'r un neges
a'r un genhadaeth.
Yn sydyn cefais fy ateb,
atebwyd ein gweddi –
diwedd ar flynyddoedd o gaethiwed,
rhyddid o'r diwedd!
Roeddwn yn dipyn o seren ar ôl hynny,
wel, nes i'r argyfwng nesaf ein goddiweddyd, beth bynnag.
Pe bawn yn onest, yr oeddwn yn falch o'r hyn a gyflawnais,
oherwydd ni chefais y gwaith yn hawdd o bell ffordd.
Eto, nid wyf am ymgolli ynof fi fy hun
oherwydd mi wn y byddai'n stori tra gwahanol
pe bai'r cyfan wedi ei adael i mi.
Buaswn wedi rhoi'r gorau iddi ers amser
ac ni fyddai ein gwaredigaeth ond yn freuddwyd.
Na, nid fy eiddo i y gogoniant –
ond eiddo Duw.
Do, fe boenais i ychydig ond fe boenodd ef ddigon,
poeni am ryddid ei bobl,
digon i ddal i frwydro
er gwaethaf y rhwystrau a'r siomedigaethau;
ac yn y diwedd ni allodd dim wrthsefyll ei bwrpas
nac atal ei gariad.

Gweddi

Arglwydd,
mae'n anodd dal ati
pan fydd ein hymdrechion yn ymddangos yn ofer;
mae'n anodd dyfalbarhau mewn gweddi
pan ymddengys fod ein gweddïau heb eu hateb;
mae'n anodd dal i gredu
pan fo cymaint yn tanseilio'n ffydd.
Ond ar yr adegau hynny y mae angen i ni ddal ein gafael arnat ti,
a thrwy hynny ddarganfod y nerth sydd ynot ti yn unig.
Dysg ni i ddyfalbarhau doed a ddelo.
Helpa ni i wybod, er i ni gael ein temtio i gefnu arnat,
na fyddi di fyth yn cefnu arnom ni.

17. DYNA FOMENT WAETHA FY MYWYD

Moses

Darllen: Ecsodus 14:8-14, 21-28

Myfyrdod
Dyna foment *waetha* fy mywyd –
y waedd sydyn,
y llwch yn codi yn y pellter,
atsain carnau ceffylau yn y gwynt,
a byddin gref yn ymddangos ar y gorwel.
Gwyddem beth a olygai hyn i gyd,
roedd yr Eifftiaid ar ein gwarthaf!
Ac yna dechreuodd y gweiddi,
synau nad anghofiaf tra byddaf fyw –
sgrechiadau arswyd,
ebychiadau anghrediniaeth,
dicter yn ffrwydro –
yr awyrgylch yn newid o ddathlu i banig,
o lawenydd i anobaith.
Roeddwn innau'n teimlo fel gweiddi hefyd
oherwydd fy mod innau'n ofni lawn cymaint â nhw.
Ond feiddiwn i ddim.
Fi ddaeth â nhw yma yn y lle cyntaf,
ie, myfi a'u harweiniodd i'r llanast hwn.
Roedd yn rhaid i mi ymddangos yn gryf,
yn hunanfeddiannol,
yn dawel fy meddwl,
er bod fy stumog yn corddi'n fwy nag erioed.
Ymddangosai'r sefyllfa'n anobeithiol,
a bod diwedd i fod ar ein rhyddid byrhoedlog.
Does dim rhyfedd fod rhai ohonynt yn fy melltithio,
oherwydd yr oeddwn wedi addo dechrau newydd iddynt,
a dyma fi yn eu harwain i'w diwedd.

Sut allai Duw ganiatáu hyn?
Mi wn na ddylwn fod wedi gofyn ond ni allwn beidio.
Sut allai ein harwain mor bell ac yna ein gadael i lawr?
Ni allai hyn fod;
rhywfodd, rywsut
fe ddeuai i'n cynorthwyo.
Yna fe gefais syniad,
chwerthinllyd,
amhosibl,
anghredadwy;
er hynny doedd gennyf ddim amheuaeth
mai llais Duw oedd yn fy annog ymlaen.
Roedd yn rhaid i ni gerdded drwy'r môr
ac ymlaen i ryddid!
Do, mi ddywedais fod y syniad yn anhygoel,
ond pwy oeddwn i i ddadlau?
Dro ar ôl tro yr oedd Duw wedi'n syfrdanu
gan beri i'r amhosibl ymddangos yn hawdd.
Felly, ar orchymyn yr Arglwydd
codais fy mreichiau
a rhannodd y dyfroedd –
golygfa na allai neb fod wedi ei dychmygu,
ac yno, o'n blaenau rhwng y tonnau,
ein llwybr i ryddid.
Aethom dan gyfaredd,
ein llygaid led y pen yn agored,
ein calonnau'n pwnio
ac yn ofni anadlu braidd.
Ond yna dyna gyrraedd yr ochr draw yn ddiogel,
ac wrth i mi ymestyn fy mreichiau unwaith yn rhagor
torrodd y dyfroedd ar ein herlidwyr,
llifeiriant anferthol
yn eu sgubo i ffwrdd.
Safasom yno'n fud
gan aruthredd yr olygfa.
Ond, yn sydyn, gwawriodd y gwirionedd arnom,
gwirionedd ein gwaredigaeth,

ac yr oeddem yn neidio mewn llawenydd,
yn rhedeg,
yn chwerthin,
yn dawnsio.
Clywodd yr Arglwydd ein cri
a'n gwared o law yr Eifftiaid;
yr oeddem yn rhydd,
ein caethiwed ar ben,
yn ddiogel o'r diwedd.
Ac ie, mae'n rhaid i mi ddweud –
dyna ddiwrnod *gorau* fy mywyd!

Gweddi

Arglwydd,
mae'n hawdd dilyn pan fo popeth yn mynd yn iawn;
anos yw dilyn pan fo anawsterau'n codi.
Maddau i ni wendid ein ffydd,
am fod yn ddisgyblion y tywydd teg
sy'n barod i gefnu arnat pan fo'r daith yn arw.
Helpa ni i sylweddoli fod yn rhaid i ni fentro weithiau
a goresgyn y rhwystrau sy'n codi ar ein taith.
Dysg i ni gofio dy fod ti gyda ni yn y dydd drwg.
Rho nerth i ni ymddiried ynot bob amser,
ac i ddilyn pa le bynnag y byddi di yn ein harwain.

15. BETH OEDD AR FY MEDDWL?

Aaron

Darllen: Ecsodus 24:12-13, 18; 32:1-8, 19-20, 35

Myfyrdod
Beth oedd ar fy meddwl?
Sut allwn i fod mor ffôl?
Atgof niwlog ydyw erbyn hyn
ond ar y pryd yr oedd yn real iawn,
ac rwy'n cywilyddio wrth sôn am y peth.
Mae'n rhaid fy mod allan o'm pwyll,
wedi fy nrysu gan y cwyno diddiwedd.
Ond er mi geisio egluro rwy'n ofni
nad oedd unrhyw esgus am y ffolineb hwn.
Yr oeddent bron ag anobeithio,
eu hanobaith yn esgor ar fraw
wrth i'r oriau garlamu a dim sôn am Moses.
Beth oedd ar y gweill ganddo tybed?
Pa faint mwy o amser roedd ei angen arno ar y mynydd?
A dyna pryd y dechreuodd fy amheuon fynd yn drech na mi;
rhyw deimlo na ddeuai yn ôl,
a bod rhyw drychineb wedi ei oddiweddyd.
Dylwn fod wedi oedi, rwy'n cyfaddef,
ond mae'n hawdd dweud hynny nawr;
roedd hi'n stori wahanol ar y pryd.
Ailgodi'r hyder oedd fy ngorchwyl i,
tawelu'r ofnau rhywsut neu'i gilydd,
a pha fodd yn well na thrwy ddefnyddio symbol gweladwy,
yn brawf fod popeth yn iawn.
Dyna yn unig oedd fy nymuniad,
gwneud yr anweledig yn weledig,
yr anwybod yn wybyddus –
codi delw oedd y peth olaf ar fy meddwl.

Ond felly yr ymddangosai, rwy'n ofni.
Gallwch ddyfalu beth ddigwyddodd nesaf.
Yn union! Dychwelodd Moses
a'n gweld yn ymgrymu mewn addoliad ac yn offrymu ein haberthau!
Dylech fod wedi gweld yr olwg ar ei wyneb.
Nid dicter yn gymaint
ond arswyd, cywilydd, siomedigaeth.
Ni allwn ei feio,
oherwydd cyfarfu â Duw ar y mynydd,
Duw Abraham, Isaac a Jacob,
Arglwydd nefoedd a daear.
Cafodd gipolwg ar ei ogoniant,
clywed ei lais a derbyn ei air –
y cyfamod cysegredig wedi'i argraffu ar garreg –
a dyma lle'r oeddem ni, yn moesymgrymu gerbron pentwr o fetel,
gan ddiystyru'r gorchymyn pwysicaf oll;
i garu'r Arglwydd ein Duw â'n holl galon, meddwl ac enaid
a pheidio creu duwiau eraill ger ei fron ef.
Diwrnod i'w anghofio,
y diwrnod mwyaf gwaradwyddus yn fy hanes,
ac roeddwn yn ffodus i ddianc yn ddianaf.
Nid diwrnod ofer er hynny,
oherwydd gwyliais y ddelw a gerfiais yn cael ei llorio'n llwch.
Cofiais i Dduw fy nghreu o lwch y ddaear,
fy llunio â'i law ei hun,
creu ar ei ddelw, ffurfio drwy ei nerth.
Ystyriwch fy rhyfyg yn meddwl y gallwn ei lunio â dwylo dynol –
beth ar wyneb daear oedd ar fy meddwl!

Gweddi
Hollalluog Dduw,
ti yw Crëwr popeth,
Arglwydd hanes,
llywodraethwr ac awdur y cyfnodau.
Yr wyt ti'n fwy nag y gall ein meddyliau ei amgyffred,
nid dy ffyrdd di yw ein ffyrdd ni
na'th feddyliau di yw ein meddyliau ni.

Ti yn unig sy'n haeddu ein haddoliad.
Eto, heb sylweddoli, byddwn yn addoli duwiau eraill,
eilunod cyfoeth materol a mwyniant bydol.
Maddau i ni ein ffolineb am dy ddarostwng a'th fychanu.
Helpa ni i agor ein bywydau
i'th bresenoldeb bywiol,
fel y gallwn dy anrhydeddu di
ym mhopeth a wnawn.

19. RWYF WEDI GWELD

Moses

Darllen: Deuteronomium 34:1-5

Myfyrdod

Rwyf wedi gweld!
Wedi'r holl amser rwyf wedi gweld gwlad yr addewid!
O bell rwy'n cyfaddef,
dim ond cipolwg,
ond, er hynny, yr olygfa brydferthaf erioed.
Roeddwn wedi dyheu am y foment honno ers cyn cof;
dyna fu'r symbyliad i mi ar hyd y blynyddoedd.
Pan oedd fy ysbryd yn isel a'm corff yn gwegian,
pan oedd fy amynedd ar brawf a'r ofnau'n drech,
dyna fu fy angor –
y gobaith o gael gweld y wlad a addawyd.
A fyddai wedi gwneud unrhyw wahaniaeth
pe bawn i ddim wedi ei gweld,
pe bawn i ddim wedi cael cipolwg cyn marw?
Dydw i ddim yn meddwl;
er mai bylchog oedd y manylion,
er mor aneglur y darlun,
yr oedd y nod yn ddigon clir,
wedi ei argraffu ar fy meddwl nid fel teyrnas y dyfodol
ond fel realiti presennol.
Fe fu Duw gyda mi bob cam o'r ffordd,
ei gariad a'i arweiniad yn sicr,
felly cymerais un dydd ar y tro,
yn berffaith fodlon gadael y cam nesaf iddo ef.
Gwyddwn, beth bynnag a ddeuai,
y byddai'n fwy rhyfeddol nag y gallem ei ddychmygu.
Doedd pethau ddim yn hawdd bob amser;
cododd nifer fawr o gwestiynau,

a chyfnodau pan oedd hi'n anodd iawn dal ati i gredu.
Do, cefais funudau anodd fel pawb arall,
a byddwn wedi hoffi gweld mwy, wrth gwrs –
cael rhoi fy nhraed ar y tir ffrwythlon
a chael blasu'r llaeth a'r mêl,
pob cwestiwn wedi ei ateb,
pob manylyn yn glir.
Ond dydw i ddim yn cwyno,
oherwydd yr wyf *wedi* gweld,
dim ond cipolwg efallai, ond digon a mwy na digon.
Arweiniodd Duw fi at byrth ei deyrnas,
fy arwain bob cam o'r daith,
a gwn yn awr, os bu amheuaeth erioed,
y bydd yn driw i'w addewidion.
Pa faint mwy y gallwn ei ofyn?

Gweddi

Arglwydd,
yr wyt yn galw arnom i fyw drwy ffydd ac nid wrth olwg,
i ymddiried yn yr hyn na ellir ei weld,
ac mewn gwirioneddau na ellir eu hamgyffred.
Gwnawn ein gorau, Arglwydd, ond nid yw'n hawdd,
oherwydd yr ydym yn hoffi gwybod a chael ateb i bopeth.
Ond gwyddom yn ein calonnau nad oes unrhyw ffordd arall
oherwydd mae'r llawenydd sydd gennyt ti mewn stôr ar ein cyfer
y tu hwnt i'n dychymyg.
Dysg ni, felly, i adael y cyfan yn dy ddwylo di.
Dysg i ni weithio dros dy deyrnas
hyd y dydd y cawn fynediad ein hunain
i ryfeddod dy bresenoldeb.

20. BYDD WROL

Josua

Darllen: Josua 1:1-9

Myfyrdod
'Bydd wrol,' meddai,
'bydd yn ddewr iawn
a byddaf gyda thi pa le bynnag yr ei di.'
Yr oedd yn addewid hyfryd;
gobaith digyfnewid mewn byd cyfnewidiol,
ac yr oedd angen y sicrwydd hwnnw arnaf ar y pryd.
Oherwydd gadawyd fi fy hunan i bob golwg,
gan fod Moses, gwas yr Arglwydd,
wedi ei ddwyn oddi arnom.
Anodd iawn fyddai ei ddilyn;
gwyddem hynny o'r dechrau,
gan ofni'r dydd pan ddeuai'r diwedd.
Pan wawriodd y dydd hwnnw
ni freuddwydiais mai ataf fi y byddent yn troi,
yr un a ddewiswyd gan y dyn mawr ei hunan.
Teimlwn ar goll,
mewn penbleth –
yn wir, yr oedd pawb yn teimlo felly,
fel llong heb lyw,
ychen heb yr iau.
Bu yno ar ein cyfer ers cyn cof,
yn ein harwain yn ddiogel trwy'r drain a'r drysni.
Ac fe gredom i ni gyrraedd pen y daith,
y wlad yn llifeirio o laeth a mêl;
heddwch, cyfoeth, o'r diwedd.
Ond er i'r teithio ddod i ben
dim ond dechrau oedd y fuddugoliaeth,
ac yr oeddwn yn arswydo

ac wedi fy llethu gan faint y dasg.
Pwy oeddwn i i wynebu'r her? –
neb arbennig,
dyn bach cyffredin yn wynebu cenhadaeth anghyffredin.
Ni allwn fod wedi cyflawni'r gwaith fy hunan.
Ond ni bu'n rhaid i mi, wrth gwrs,
oherwydd yr oedd Duw yno yn ôl ei addewid,
bob cam o'r ffordd:
yno i herio,
yno i arwain,
yno i fendithio.
Pan ballodd fy ysbryd, yr oedd ef gyda mi;
pan lithrodd fy nhroed, cododd fi,
bob amser yn cynorthwyo,
bob amser yn arwain
a'i gariad yn ddi-ben-draw.
Un peth yn unig a ofynnodd,
ac nid oedd yn ormod i'w ddisgwyl,
er i ni gael y dasg yn anodd,
ac er i ni fethu droeon.
Dymunai i ni ufuddhau i'w orchmynion,
gan eu cadw yn ein meddyliau,
myfyrio arnynt ddydd a nos –
a rhodio mewn ffydd doed a ddelo.
Do, fe gafwyd adegau
y byddwn yn cywilyddio o'u plegid wrth edrych yn ôl.
Beth bynnag, rwyf wedi gwneud fy rhan
ac y mae'r dewis iddynt hwy bellach, a neb arall –
ond does dim cwestiwn
yng nghyd-destun fy nheulu a minnau,
dim amheuaeth o gwbl:
fe wasanaethwn yr Arglwydd!

Darllen: Josua 24:16-17a, 18b

Gweddi

Arglwydd,
mae'n anodd ailgychwyn ar ôl siomedigaeth,
mae'n anodd magu rhuddin i ddal ati.
Wedi cyflawni cymaint,
wedi'r holl frwydrau,
mae'n anodd derbyn fod mwy o rwystrau i'w goresgyn.
Ym merw gofynion trymion y byd a'r bywyd hwn, adnewydda ni.
Adnewydda ni drwy dy Ysbryd Glân,
a rho i ni'r ymroddiad a'r ffydd angenrheidiol
i fyw pob dydd fel pobl y ffordd.

CONCWEST A THEYRNAS

21. BRADWR!

Rahab

Darllen: Josua 2:1-14

Myfyrdod
Bradwr!
Dyna fydden nhw wedi fy ngalw
pe byddent yn gwybod y ffeithiau.
Ie, bradwr!
Byddai ganddynt ddigon o achos i wneud hynny.
Dyna oeddwn,
yn rhoi lloches i elynion fy nghenedl
ac yn bradychu fy mhobl fy hun.
Gwn y byddwch yn credu
i mi wneud hyn i achub fy nghroen fy hun.
Fe fyddech yn anghywir i dybio hynny,
oherwydd yr oedd yn fwy na hynny,
yn llawer iawn mwy.
Wrth gwrs fy mod i eisiau byw –
oni fuasai chwithau?
A phan welais y cyfle i achub fy anwyliaid yn y fargen,
yr oedd hynny'n ddigon o berswâd.
Ond yr hyn a drodd y fantol
oedd gwrando ar y dynion hynny wrth iddynt eistedd yn fy nghartref.
Gallwn weld eu bod yn wahanol o'r eiliad cyntaf –
dim byd tebyg i'r dynion byddaf yn cyfarfod â hwy yn fy musnes i –
ac os oedd gennyf unrhyw amheuaeth o gwbl
fe ddiflannodd yn sydyn.
Nid dod i geisio fy nghorff a wnaethant
ond dod i geisio gwybodaeth!
Roedd ganddynt ymdeimlad o bwrpas
o'r fath na welais o'r blaen,
rhyw hyder ac argyhoeddiad,

na allwn ond ei edmygu.
Sylweddolais erbyn hyn
fod yr hyn a ddywedwyd am yr Iddewon yn wir:'
yr oedd eu Duw gyda hwynt –
Duw annhebyg i dduwiau eraill, llywodraethwr nefoedd a daear –
ac ni allai neb eu rhwystro.
Ara' deg! meddech chithau,
gallwn fod wedi eu trosglwyddo i'r awdurdodau,
rhwystro eu cynlluniau –
ond pa wahaniaeth fyddai hynny wedi'i wneud?
Dim o gwbl,
oherwydd pe bai'r rhain wedi eu hatal, byddai eraill wedi codi;
roedd rhywun arall bob amser yn barod i sefyll yn y bwlch.
Na, bu'n rhaid penderfynu'r diwrnod hwnnw,
a chredwch fi, nid oedd yn hawdd;
ni fydd diwrnod yn mynd heibio
heb i mi gwestiynu fy mhenderfyniad.
Ond er bod yr atgofion yn fy mlino,
rwy'n dal i gredu i mi wneud yr hyn oedd yn iawn.
Pe bawn i'n brwydro â dynion
dichon y byddwn wedi mentro mwy.
Yr oeddwn wedi arfer gyda dynion,
wedi arfer edrych ar ôl fy hun.
Ond Duw fel hwn?
Wel, brwydrwch chi yn ei erbyn os mynnwch –
i mi, doedd dim ffordd arall!

Gweddi

O! Dduw Byw,
yr ydym wedi datgan droeon,
'Gwneler dy ewyllys',
ond mae'n anodd dirnad dy ewyllys di.
Y mae digwyddiadau yn yr Ysgrythurau
sy'n ymddangos yn groes i bopeth yr ydym wedi'i gredu amdanat,
ac eto maent yn unol â'th fwriad.
Bu adegau yn ein bywydau
pan oeddem yn sicr o'th arweiniad

a ninnau'n darganfod ymhen hir a hwyr mai dilyn ein mympwyon ein hunain a wnaethom.
Helpa ni, felly,
er mai o ran y gwelwn,
ac o ran y deallwn,
i'th wasanaethu yn ôl ein gallu,
hyd nes i'th deyrnas ddod, ac i'th ewyllys gael ei chyflawni,
ar y ddaear fel y mae yn y nefoedd.

22. DRUAN O BALAC

Balaam

Darllen: Numeri 22:1-8, 12; 23:7a, 8-12

Myfyrdod
Druan o Balac, dylech fod wedi gweld ei wyneb –
golwg o anghrediniaeth yn gymysg â diflastod –
a pham lai, yr oedd ei gynlluniau ar chwâl.
Eto, ni allwn dosturio wrtho,
oherwydd derbyniodd ei haeddiant,
wedi ei ddal gan raffau a glymodd ei hun.
Gallaf ddeall pam iddo wneud yr hyn a wnaeth,
pam y trodd, yn ei anobaith, i geisio fy ngwasanaeth.
Yr oedd yr Israeliaid hynny yn bobl arbennig,
yn wahanol i bob cenedl arall a welais o'r blaen.
Yr oedd yntau'n sylweddoli hynny,
yn fwy na neb efallai,
ond nid oedd wedi amgyffred achos
a chyfrinach eu llwyddiant.
'Un felltith,' meddai, 'dyna'r oll a ofynnaf.'
Un cyhoeddiad syml i'w darostwng.
Ond ni allwn, pe byddwn yn dymuno,
lefaru un gair yn eu herbyn.
Yr oedd fel petai llais yn sibrwd yn fy nghlustiau,
yn cau fy meddwl i bopeth arall,
ac ni allwn ond ufuddhau.
Synnodd Balac, credwch fi.
Yno yr oedd ar y mynydd yn barod ac yn disgwyl,
yn awchu am weld y canlyniadau.
Gyda hyn, meddyliodd,
byddai'r fuddugoliaeth wedi ei sicrhau,
a diwedd ar ei holl bryderon.
Ac yna llefarais –

nid i felltithio ond i fendithio –
ac ni welais wyneb neb yn disgyn mor sydyn.
Ni ddylwn chwerthin,
er mae'n anodd peidio,
ond pe byddai wedi aros i feddwl
fe fyddai wedi gweld y cyfan yn dod.
Collais fy nghyflog,
ac fe allwn fod wedi colli mwy –
fy mywyd!
Ond doeddwn i ddim yn poeni.
Perygl neu beidio, ni fyddai wedi gwneud gwahaniaeth –
roedd Duw wedi ymddiried ei air i mi;
ac ni allwn ond ei lefaru.

Gweddi

O! Dduw trugarog,
y mae'n anodd gorfod dewis weithiau.
Mae'n well gennym chwarae'r ffon ddwybig,
defnyddio'r bluen yn ôl lliw y dŵr,
dilyn llwybr cyfaddawd
yn y gobaith o blesio pawb.
Dysg i ni gofio fod amser yn dod,
os nad ydym o'th blaid yr ydym yn dy erbyn.
Helpa ni yn ein penderfyniadau
a rho i ni nerth i sefyll yn gadarn yn y ffydd,
beth bynnag fo'r gost.

23. DOEDDWN I DDIM YN SIŴR

Gideon

Darllen: Barnwyr 6:36-40

Myfyrdod

Doeddwn i ddim yn siŵr hyd yn oed y pryd hwnnw!
Wedi'r oll a gyflawnodd Duw,
yr holl arwyddion a roddodd,
ni allwn ddileu'r cwestiynau o'm pen.
Duw a ŵyr, fe geisiais,
ond y gwir oedd, er yr holl arwyddion
ni allent dawelu'r amheuon.
Chwiliwn am sicrwydd –
braich gysgodol,
gair tawel o anogaeth –
oherwydd dyn oeddwn fel pawb arall,
yn ansicr ohonof fy hun er fy ngorchest.
Yr oedd y gwaith o'm blaen yn aruthrol
ac yn her y gallwn yn hawdd fod wedi gwneud hebddi.
Felly, mentrais ar fargen.
Gwn ei fod yn ymddangos yn haerllug,
hyd yn oed yn drahaus,
oherwydd pwy oeddwn i, feidrolyn,
i hawlio gan Dduw?
Ef oedd i osod yr amodau, nid fi.
Ond er syndod i mi,
nid gwrando yn unig a wnaeth
ond eu derbyn,
yn fwy na pharod i gynnig y prawf yr oeddwn yn ei geisio.
Byddech yn disgwyl i mi, o ganlyniad, fod yn hapus.
Yr oeddwn –
am foment –
yn barod ac yn awyddus i fynd.

Ond dim ond am foment, dyna sy'n fy mlino i –
ffydd tân siafins
cyn i'r ofnau ddychwelyd.
Ymhen dim yr oeddwn yn ôl ar fy ngliniau
yn ceisio arwydd.
Gallai fod wedi fy anwybyddu a'm diystyru'n llwyr,
oherwydd yr oedd digon o bobl eraill,
llawn mor alluog,
llawn mor ddawnus,
ac yn llawer mwy ffyddlon nag y gallwn i obeithio bod.
Ond ni wnaeth hynny.
Mewn amynedd mawr a gras rhyfeddol
ymatebodd drachefn yn ôl y gofyn.
Ac er i mi fentro y tro hwn i'r frwydr
doeddwn i eto ddim yn siŵr,
oherwydd er bod arwydd yn dweud llawer
nid yw'n profi dim.
Roeddwn yn sylweddoli erbyn hyn
nad oedd ffordd arall.
Rhaid oedd taflu gofal i'r gwynt,
mentro mewn ffydd –
er yn gyndyn i ollwng gafael hyd y diwedd.
Ond er syndod i mi, wedi i mi wneud,
newidiodd y cyfan –
dim angen mwy o arwyddion bellach,
dim gofyn am fwy o gysur.
Gwyddwn fod yr Arglwydd gyda mi,
nid oherwydd unrhyw arwydd
ond oherwydd cyffyrddiad ei law,
agosrwydd ei bresenoldeb
a phrofi ei gariad o ddydd i ddydd.
Beth arall roedd ei angen?

Gweddi

O! Dduw grasol,
fel Gideon dy was,
teimlwn ninnau yn ansicr o'r ffordd ymlaen.

Haws gennym weld y broblem na'r cyfle.
Cofiwn y methiant yn fwy na'r llwyddiant.
Yr ydym yn llawn o amheuon yn hytrach na ffydd.
Ac eto, fel Gideon, fe geisiwn arwydd,
rhyw sicrwydd y byddi'n gofalu amdanom.
Maddau i ni am ei chael yn anodd i ymddiried ynot,
ac am anghofio yr hyn a wnaethost trosom.

24. WYDDOCH CHI BETH DDYWEDON NHW?

Samson

Darllen: Barnwyr 16:4-22

Myfyrdod
Wyddoch chi beth ddywedon nhw?
Mae cariad yn ddall!
Wel, rwyf wedi dysgu hynny'n llythrennol erbyn hyn.
Pe bawn i ond wedi gwrando!
Cefais fy rhybuddio rhag ei phriodi,
ond doeddwn i ddim yn poeni ar y pryd.
Beth wyddent hwy am fywyd?
Pa hawl oedd ganddynt i ymyrryd?
Roedd hynny'n nodweddiadol ohonof,
yn credu mai fi oedd yn gwybod orau,
a gwae neb a fyddai'n gwthio'i fys i'r brywes.
Doedd dim byd yn ormod i mi,
doedd dim diwedd ar fy nhraha –
felly i ffwrdd â mi i briodi,
gweithred a fyddai'n newid fy mywyd yn llwyr.
Rwyf wedi difaru'r canlyniadau ers hynny,
yn union fel y dywedwyd wrthyf.
Mae'n anodd credu o hyd –
fi, Samson, lladdwr llewod,
ffrewyll y Philistiaid,
wedi ei ddarostwng gan dafod merch!
Ond dyna'n union a ddigwyddodd,
a'r cwbl oherwydd fy ffolineb fy hun.
Credais y gallwn ei rheoli,
beth bynnag a fynnai daflu ataf.
Fyddai hyn yn ddim o'i gymharu
ag ymladd y llewod.
Ond ni freuddwydiais pa mor anodd

yr oedd pethau'n mynd i fod.
Y cecru parhaus ddydd a nos;
doedd dim eiliad o heddwch i'w gael.
Yr un hen gwestiwn bob tro:
'Beth yw dy gyfrinach?'
Gwyddwn fod rhywbeth ar y gweill, a cheisiais ymwrthod,
ond ni ildiodd.
Diwedd y stori oedd i mi ildio a dweud y cyfan wrthi.
'Beth oedd o'i le yn hynny?' rwy'n eich clywed yn gofyn.
'Pa niwed sydd mewn torri gwallt?'
Ac, wrth gwrs, yr ydych yn iawn,
oherwydd doedd y gwallt ddim yn cyfrif;
os oes rhywun yn credu hynny, druan ohonynt.
Nid y gwallt ei hunan ond ei arwyddocâd –
fy addewid i Dduw,
fy llw o deyrngarwch,
a oedd, er methu droeon, yn agos at fy nghalon.
Yno yr oedd fy nerth,
fy ffydd yn ei bwrpas a roddodd gadernid i'm braich,
ac ar yr eiliad hwnnw o wallgofrwydd bradychais y cyfan.
Rwy'n sylweddoli hynny nawr,
fel yr arweiniodd un cam gwag at y nesaf.
Rwyf wedi dysgu fy ngwers,
a'r addewidion a dorrwyd bellach wedi eu hadfer.
Hen fyd rhyfedd.
Pan oedd gennyf lygaid i weld, ni allwn weld ond ychydig,
a nawr a minnau'n ddall rwy'n gweld y cyfan.

Gweddi

O! Dduw graslon,
mewn amrywiol ffyrdd yr ydym wedi addo dy wasanaethu,
ond gwyddom pan ddaw'r cyfle y byddwn yn dy siomi.
Y mae'r ysbryd yn barod ond y cnawd yn wan.
Maddau i ni ein hanallu
i gyrraedd y nod a osodwn i ni ein hunain
heb sôn am y nod a osodi di o'n blaenau.
Yn dy gariad nertha'n penderfyniad,

dyfnha ein ffydd,
fel y gallwn dy wasanaethu'n well
er gogoniant i'th enw.

25. AI CAMGYMERIAD YDOEDD?

Ruth

Darllen: Ruth 1:8-17

Myfyrdod

Ai camgymeriad ydoedd i mi aros gyda hi fel y gwnes?
Roedd fy chwaer yn credu hynny.
Naomi hefyd, mam-yng-nghyfraith neu beidio.
Gallwn weld pam,
Moab oeddwn ac nid Iddew,
gyda'm pobl fy hun roedd fy lle,
fy nghenedl fy hun,
fy nheulu fy hun
yn hytrach na thref bellennig mewn gwlad ddiarth.
Beth oedd fy rhagolygon yno?
Pa obaith o gael gŵr newydd,
cychwyn cartref newydd,
adeiladu bywyd newydd?
Fawr o obaith, ni allwn wadu hynny –
dieithryn fyddwn heb ran yn eu hanes,
eu ffydd na'u harferion.
Felly, pan ddywedodd wrthym am droi'n ôl,
fe wyddwn pam.
Ei hunig ofal oedd ein lles ni,
ac ni phoenai ddim am ei lles ei hunan.
Yr oedd wedi ymlâdd,
yn feddyliol ac yn ysbrydol –
yr oedd troeon yr yrfa wedi dweud arni,
ac er iddi geisio cuddio'r boen gyda gwên,
gwyddwn ei bod wedi ildio,
ac yn barod i dderbyn beth bynnag arall a ddeuai ar ei thraws.
Ond gallai pethau fod yn wahanol i ni –
dyna oedd ei gobaith beth bynnag –

doedd dim angen i'n dyfodol ni fod mor dywyll.
Felly, gallwn, fel fy chwaer Orpa,
fod wedi gadael â chydwybod dawel,
mynd yn ôl i fan fy ngeni.
Ond, wrth edrych arni yn sefyll yno,
mor unig,
mor ddiymadferth,
ni allwn gerdded i ffwrdd,
dim byth.
Yr oedd gormod o atgofion,
munudau oedd yn ein clymu mor dynn i'n gilydd –
llwyddiannau, trychinebau, pleser a phoen –
y cyfan yn ein huno yn fwy nag unrhyw gyswllt teuluol.
Felly, arhosais, er iddi geisio fy narbwyllo;
addewais fy nghariad,
fy nheyrngarwch,
doed a ddelo.
Peth ffôl i ferch ifanc i'w wneud?
Clywch, yr oedd hi'n fwy na mam-yng-nghyfraith i mi;
roedd hi'n ffrind,
yr un y bu i mi droi ati yn fy angen.
Yn awr yr oedd hi fy angen i.
Mae'n debyg bod gennyf ddewis,
ond yn y bôn doedd dim cwestiwn,
dim o gwbl.
Dim ond un peth y gallwn ei wneud,
dim ond un ffordd i ymateb.
A fyddech chi wedi gwneud yn wahanol?
Rwy'n gobeithio na fyddech.

Gweddi
Arglwydd,
diolch i ti heddiw am deulu a chyfeillion,
y rhai sydd wedi bod yn gymaint rhan o'n bywydau,
yn rhannu achlysuron arwyddocaol ein bywyd.
Diolch i ti am y rhai sydd agosaf atom,
y rhai fydd yn sicr o fod yn ffyddlon i ni

hyd yn oed pan na fydd yr awelon o'n plaid.
Diolchwn am y gymdeithas a rannwn yn Iesu Grist,
am y cariad a rannwn drwyddo ef.
Yn bennaf oll diolchwn am y cyfeillgarwch a ddaw ynot ti,
yn ein gwarchod bob awr o'r dydd.
Dysg i ni ymddiried ynot bob amser,
gan wybod y byddi di'n ffyddlon
hyd ddiwedd amser.

26. A WNES I DDIFARU'R ADDUNED HONNO?

Hanna

Darllen: 1 Samuel 1:1-11

Myfyrdod

A wnes i ddifaru'r adduned honno?
Wedi'r gorfoledd dechreuol,
y ffrwydrad digymell o fawl a diolchgarwch,
a oedais i feddwl beth roeddwn wedi ei wneud –
sut gallwn wneud y fath addewid?
Fyddwn i ddim yn ddynol oni bai i mi gael teimladau felly.
Ond doedd pethau ddim mor hawdd ag y byddech yn dychmygu.
Hwyrach y bydd hyn yn swnio'n rhyfedd i chi, os nad yn syfrdanol.
Erfyn i ddial oedd y plentyn yn wreiddiol,
i ddial ar un oedd yn cystadlu â mi.
Roeddwn am dynnu'r wên hunanfoddhaol yna oddi ar ei hwyneb
a thawelu'r tafod maleisus unwaith ac am byth.
Allwch chi fy meio?
Roeddwn wedi goddef yn rasol ar y cychwyn –
y cellwair,
y gwawd
a'r sarhad –
gan gredu y byddai cariad yn sicr o gael y trechaf.
Ond gyda threigl y blynyddoedd, dwysaodd y boen,
fel na allwn oddef mwyach.
Torrais i lawr, yn y deml,
yn beichio wylo,
ac ymbil ar Dduw i wneud rhywbeth, costied a gostio –
ac, yn wir, fe glywodd fy ngweddi.
Mae'n sefyllfa mor eironig;
pe bawn ond wedi sylweddoli,
yr oedd hithau mor anhapus â minnau
os nad yn fwy anhapus.

Teimlai'n ddi-gariad,
yn ddiangen,
ac yn eiddigeddus o'r cariad a ddangosai Elcana tuag ataf.
Ychydig a wyddai mai ei malais fu'n gyfrwng
i'w bellhau oddi wrthi.
A dyna lle'r oeddwn innau yn teimlo rhywbeth yn debyg,
yn argyhoeddedig fy mod yn amherffaith,
yn llai na gwraig,
a'r cwbl oherwydd fy mod heb blant.
Dywedodd ef ei fod yn fy ngharu yr un fath yn union,
ond ni wrandawn;
dallwyd pob rheswm gan ddicter.
Ac er iddo brofi ei ofal dro ar ôl tro,
gwrthodais ei weld,
wedi fy nallu i'r person *oeddwn*
gan y person y credwn y *dylwn* fod.
Felly addunedais,
gan gredu y deuai plentyn â hapusrwydd yn ei sgil,
ac fe dalais yn ddrud.
Gallaf weld hynny'n awr, ond nid y pryd hwnnw.
Doedd dim i'w ddifaru,
dim ond ymdeimlad o orfoledd,
ac awydd cryf i'w foliannu,
oherwydd clywodd fy ngweddi a dygodd fy nhristwch.
Erbyn hyn? Nid wyf mor siŵr,
oherwydd ni allaf ond meddwl beth allai fod,
y cariad y gallwn fod wedi'i rannu,
y llawenydd y gallwn fod wedi ei dderbyn.
Cofiwch, y tro nesaf y byddwch yn gweddïo,
ystyriwch y canlyniadau. Mae'n hawdd addo;
gall gostio'n ddrud i'w anrhydeddu.

Gweddi
Arglwydd,
y mae pethau y byddem yn barod i roi unrhyw beth i'w sicrhau,
y pethau sy'n llenwi ein meddyliau ddydd a nos.
Y demtasiwn yw aberthu'r cyfan

yn ein hawydd i gyrraedd y nod.
Arglwydd, gwyddost am deimladau felly,
gobeithion ar chwâl a breuddwydion yn ofer.
Gwyddost hefyd fod bywyd yn fwy nag unrhyw uchelgais.
Maddau i ni am synfyfyrio ar yr hyn nad oes gennym mohono
fel y collwn olwg ar y bendithion sydd gennym.
Dysg i ni lawenhau am bob eiliad a roddi inni,
gan ymddiried y dyfodol i ti.

27. TEIRGWAITH Y GALWODD ARNAF

Samuel

Darllen: 1 Samuel 3:4-18

Myfyrdod

Teirgwaith y galwodd arnaf,
teirgwaith, yr un llais yn galw fy enw –
yr oeddwn wedi drysu,
yn methu gwneud synnwyr o'r hyn oedd yn digwydd.
Ai fi oedd yn araf?
Hwyrach; ond llais Duw!
Ni chroesodd y posibilrwydd fy meddwl –
mae'n rhaid mai Eli ydoedd, dyna a dybiais –
doedd gennyf ddim achos i gredu'n wahanol.
Ond pan euthum ato'r drydedd waith,
ac yntau'n syllu'n ddryslyd arnaf,
gwyddem ein dau fod rhywbeth rhyfedd yn digwydd –
a'r llais yn wahanol i unrhyw beth a glywyd o'r blaen.
Yr oeddwn yn dal mewn penbleth,
yn dal i geisio llyncu'r cyfan,
ond sylwais fod Eli wedi amgyffred rhywbeth y methais i ei weld;
roedd yna gymysgedd o lawenydd a phetruster yn ei lygaid.
'Yr Arglwydd ydyw,' meddai wrthyf.
Cer nôl a bydd yn barod i ateb.
Felly, fe euthum, ac arhosais a gwrandewais;
yn betrus ond yn awyddus; yn nerfus, eto'n gyffrous,
yn dychmygu beth roedd yr Arglwydd yn ei ddymuno
gan lanc ifanc fel fi?
Ni fu'n rhaid i mi aros yn hir, oherwydd galwodd eto,
mor glir ag o'r blaen,
ond y tro hwn roeddwn yn glustiau i gyd.
Buasai'n dda gennyf erbyn hyn petawn wedi cuddio fy mhen dan y
gobennydd,

79

oherwydd neges o rybudd ydoedd –
llym a difrifol –
ynglŷn â chyfiawnder, poen a chosb . . . ynglŷn ag Eli.
Yr oeddwn am gymryd arnaf na chlywais ddim,
ond doedd Eli ddim yn barod i dderbyn hynny,
gan fynnu fy mod yn adrodd y cyfan.
Doedd yr hyn a ddywedais wrtho ddim i bob golwg yn ei synnu;
roedd fel petai'n gwybod beth roeddwn am ei ddweud
cyn i mi yngan yr un gair.
Er hynny, gorchwyl ddiflas ydoedd –
efallai'r funud waethaf erioed i mi –
yn gorfod torri newyddion felly iddo,
a buasai'n llawer haws celu'r gwir.
Ond nid hynny a wnes –
daeth y cyfan allan gyda holl letchwithdod llencyndod.
Er hynny, yr oedd Eli yn ddiolchgar
er mor boenus oedd y neges.
Sylweddolais pam, gyda hyn,
oherwydd er bod y geiriau'n ddigalon a'r neges yn llym,
rhoddodd iddo'r dewrder y bu'n ei geisio mor hir
i fod yn onest ag ef ei hunan ac yn onest gyda Duw –
a thrwy hynny brofi heddwch o'r diwedd.

Gweddi

Arglwydd,
gofynnwn i ti yn aml i lefaru wrthym,
i ddatguddio dy ewyllys a rhoi i ni dy arweiniad,
ond pan ddaw dy alwad ni allwn ei adnabod.
Yr wyt ti yn ein synnu ni,
nid yn aml y byddwn yn disgwyl i ti lefaru wrthym ni.
A hyd yn oed pan fyddwn yn clywed nid ydym bob amser yn gwrando,
oherwydd gall dy air ein haflonyddu,
a dwyn neges cwbl groes i'r disgwyl.
Rho i ni wir ymdeimlad o ddisgwyliad
wrth droi atat mewn gweddi.
Rho i ni'r sensitifrwydd i ddirnad dy lais
ym merw ein bywyd beunyddiol.

Rho i ni wroldeb i glywed yr hyn sydd gennyt i'w ddweud.
A rho i ni ffydd i ymateb
i bob her a osodi di.

28. AI SIWRNAI SEITHUG YDOEDD?

Samuel

Darllen: 1 Samuel 16:1, 4a, 5b-13

Myfyrdod
Ai siwrnai seithug ydoedd?
Dechreuais amau gyda hyn,
wrth iddynt ddod ger fy mron un ar ôl y llall
a'r Arglwydd yn eu gwrthod un ar ôl y llall.
Yr oedd yr holl beth yn peri dryswch, a dweud y lleiaf,
oherwydd yr oeddent i gyd yn ymddangos yn dderbyniol i mi,
yn arbennig felly yr hynaf – Eliab.
Yr oedd yn feddiannol ar y cyfan, yn fy meddwl i –
tal, cydnerth, deniadol,
cyw brenin os bu un erioed –
ac yr oeddwn yn barod i'w eneinio,
yr olew yn barod uwch ei ben,
hyd nes i Dduw ymyrryd a'm cywiro.
'Pwy sy'n dewis yma?' Dyna a ddywedodd i bob pwrpas.
Yr oeddwn wedi mynd dros ben llestri braidd.
Nid fy mod i wedi cymryd arnaf fy hun i ddewis yn gymaint,
er fod hynny'n beth ffôl,
ond y ffordd y deuthum i'm penderfyniad –
barnu'r allanolion,
yn hytrach nag edrych o dan yr wyneb.
Twyllwyd fi gan y sioe,
bodlonwyd fi gan yr wyneb;
roedd yr ymddangosiad yn bwysicach na'r hyn oedd ynghudd.
Y canlyniad oedd embaras i bawb!
Gallaf eu dychmygu'n awr,
yn llyfu eu briwiau yn y gornel,
yn gynddeiriog fod eu gobeithion wedi eu codi un funud
i gael eu chwalu y funud nesaf.

A beth am eu tad?
Cawn yr argraff fy mod wedi goraros fy nghroeso.
Ond dyma droi ato am y tro olaf,
yn gobeithio mwy na'r disgwyl,
a gofynnais a oedd rhywun nad oeddwn wedi ei weld –
a dyna pryd yr anfonwyd Dafydd.
Gallech weld pam yr oeddent wedi ei ddiystyru:
dim ond bachgen ydoedd.
Ond er i ni ei ddiystyru,
yr oedd Duw wedi ei neilltuo,
gan weld hadau mawredd yn ei gorffolaeth ifanc.
Dysgais yno'r wers nad wyf wedi ei hanghofio hyd y dydd hwn –
fod Duw yn gweld yn ddyfnach na ni,
o dan y mwgwd ac at y person ei hun.
Yr hyn sy'n fy mlino o hyd
yw na chroesodd fy meddwl i gwestiynu trefn arferol pethau.
Mae'n peri i mi sylweddoli, er i mi dybio fy mod yn gweld,
y gallaf fod yn fwy dall nag y gallwn ei ddychmygu.

Gweddi

O! Dduw grasol,
gwyddom pa mor ffôl yw barnu'r allanolion,
ond disgynnwn i'r fagl yn fynych.
Y meddwl yn dweud un peth
a'r galon yn dweud peth arall.
Cawn ein twyllo yn aml gan yr arwynebol
gan fethu gweld y da yn rhai a'r drwg mewn eraill.
Helpa ni i weld drwy dy lygaid di.
Caniatâ i ni weld tu hwnt i'r amlwg
at wirioneddau dyfnach bywyd.

29. DYLECH FOD WEDI GWELD EU HWYNEBAU

Dafydd

Darllen: *1 Samuel 17:4, 8, 32, 38-40, 42-45, 48-49*

Myfyrdod

Dylech fod wedi gweld eu hwynebau –
roedd golwg anghrediniol ar bob un ohonynt –
golwg braw,
golwg syndod!
Yn wir i chi, nid oeddent yn gwybod
ai chwerthin ynteu crio oedd y peth gorau dan yr amgylchiadau.
Plentyn fel fi
yn mynd i gwrdd ag anghenfil fel ef.
Yr oedd Goliath ei hun yn benwan,
yn credu fod rhywun yn chwarae rhyw ystryw,
cynllwyn drwg i'w fychanu o flaen ei ddynion ei hun.
Credodd pawb y byddai'r cyfan ar ben mewn amrantiad,
a neb yn fodlon rhoi dim am fy ngobeithion wedi i'r ornest gychwyn.
A oedd ofn arnaf?
Roeddwn wedi fferru, a dweud y gwir,
yn crynu fel deilen o dan yr wyneb,
oherwydd nid milwr oeddwn,
dim ond bachgen cyffredin yn syth o'r meysydd.
Ond ni allwn sefyll o gwmpas
a gweld fy mhobl yn cael eu bychanu.
Yr oedd yn adlewyrchiad arnom i gyd –
ein cenedl,
ein ffydd,
ein Duw.
Gwyliais hwy yn gwatwar bob dydd,
yn cilwenu y tu ôl i'n cefnau, yn taflu eu sen,
ac yr oedd yn ormod i'w oddef,

felly euthum at Saul ac ymbil arno i ganiatáu i mi ymladd.
Chwarddodd yn gyntaf, ynghyd â'r gweddill ohonynt,
a hyd yn oed ceisio fy narbwyllo.
O gymryd golwg ddynol ar bethau, mae'n sicr ei fod yn iawn.
Ond ni roddodd ystyriaeth i Dduw;
gwelodd faint y broblem,
yn hytrach na helaethrwydd yr adnoddau.
Roedd pawb wedi colli golwg ar y ffaith honno,
gan ymddiried mewn bôn braich yn hytrach na gallu dwyfol.
Pe bawn wedi derbyn eu cyngor
byddwn wedi gwegian dan bwysau arfwisg,
tarian na allwn ei chario
a chleddyf na allwn ei godi.
Gwell hynny, yn eich tyb chi, na ffon dafl a phum carreg.
Ond y gwir a saif;
roedd gennyf bedair carreg yn ormod –
dim ond un roedd ei hangen arnaf.
Croesawyd fi fel arwr wedi'r drin,
ond eiddo Duw oedd y fuddugoliaeth, nid eiddof fi.
Ef ac ef yn unig a'm nerthodd.
Fe ddysgais un peth yn sicr:
os oedd Duw trosof,
pwy allai fod i'm herbyn?

Gweddi

O! Dduw,
bydd adegau yn ein bywyd pan deimlwn fod popeth yn ein herbyn.
Teimlwn mor eiddil yn wyneb anawsterau.
Ond Duw ydwyt ti sydd wedi defnyddio'r dinod
i gyflawni pethau mawr.
Duw a oresgynnodd y cryf drwy ddefnyddio'r gwan.
Helpa ni, yn wyneb rhwystrau sy'n ymddangos mor anorchfygol,
i ymddiried ynot ti
gan wybod y byddi di'n diwallu ein holl anghenion.

30. WYDDOCH CHI SUT ROEDDWN YN TEIMLO?

Jonathan

Darllen: 1 Samuel 20:1-3, 12-17

Myfyrdod

Wyddoch chi sut roeddwn yn teimlo?
A oes gennych syniad y boen a ddioddefais.
Yr oedd fel gwaywffon yn fy ystlys,
a doedd dim modd ei hosgoi.
Rhaid oedd dewis –
Dafydd, ynteu 'nhad –
roeddwn wedi fy rhwygo,
fy meddwl yn dweud un peth a'm calon yn dweud peth arall.
Beth allwn ei wneud?
Yr oeddwn yn caru fy nhad, er gwaetha'i feiau;
roedd yno ormod o atgofion hapus, gormod wedi ei rannu,
iddynt fedru dod rhyngom.
Eto yr oeddwn yn caru Dafydd hefyd,
fel cyfaill
a brawd yn y frwydr.
Mae'n anodd ei ddisgrifio'n ddigonol,
ond yr oedd rhyw gwlwm rhyngom,
perthynas arbennig,
y naill yn ymddiried yn y llall yn llwyr.
Byddwn wedi ymddiried fy mywyd iddo, pe bai raid,
yn union fel y bu'n rhaid iddo ef yn y pen draw wneud i mi.
Nid oeddwn wedi disgwyl hynny er gwaethaf gorffwylledd fy nhad.
Mae'n siŵr i ni gredu y buasai'n pasio heibio,
ac mai dim ond eiliad o wallgofrwydd cenfigennus ydoedd.
Ond nid felly y bu.
Aeth yn ddyfnach na hynny –
anhwylder calon ac enaid yn ogystal â meddwl,

yn ei fwyta nes ei ddinistrio.
Ni allaf ei amddiffyn ond gofynnaf hyn:
peidiwch â'i gamfarnu,
oherwydd nid fy nhad ydoedd tua'r diwedd,
nid y dyn a adnabûm,
nid y dyn a gerais –
nid oedd ond megis cysgod o'r hyn ydoedd,
a'i afiechyd wedi ysbeilio pob rheswm a hunan-barch.
Mae dweud hynny'n gymorth i mi,
oherwydd gwn mai ei ddymuniad fyddai i mi gynorthwyo Dafydd.
Ni allaf ond teimlo i mi ei fradychu,
oherwydd bu i mi amddiffyn y dyn oedd i ddwyn ei goron,
y gŵr a edmygodd ond a ofnodd yn fwy na neb –
ac y mae'n anodd byw gyda'r wybodaeth honno.
Eto, er y boen, roedd y penderfyniad yn iawn.
Er iddo gostio llawer, derbyniais fwy:
cyfle i wasanaethu cyfaill,
a chael blas ar wir ystyr cyfeillgarwch.

Gweddi

Arglwydd,
y mae llawer o bobl y byddem yn eu galw'n ffrindiau,
ond ychydig y byddem yn rhannu gwir gyfeillgarwch â hwy.
Diolch am y cylch bychan,
boed yn deulu neu'n gyfeillion,
y gallwn fod yn agored â hwy
a meithrin y berthynas.
Diolchwn i ti hefyd,
dy fod yn dymuno i ninnau rannu'r un berthynas â thi.
Diolch am ein derbyn fel yr ydym.
Boed i ni gael ein hysbrydoli gan y cariad a roddodd y cyfan,
fel y gallwn yn ein tro offrymu gwasanaeth ffyddlon i ti.
Dysg i ni ystyr cyfeillgarwch,
a helpa ni drwy dderbyn yr her,
i ddarganfod ei lawenydd.

31. GALLAI FOD WEDI FY LLADD PE BYDDAI'N DYMUNO

Saul

Darllen: 1 Samuel 24:1-10, 16-20

Myfyrdod

Gallai fod wedi fy lladd pe byddai'n dymuno –
un gwaniad o'i gleddyf,
un trawiad â'i ddagr,
a byddai'r cyfan ar ben.
Duw a ŵyr, roedd ganddo ddigon o reswm i wneud,
digon o achos i'm gweld yn farw.
Yr oeddwn wedi gwneud cam ag ef,
gan ei erlid ef ddydd a nos fel lleidr,
troseddwr cyffredin.
A doedd gennyf ddim achos, dyna'r eironi.
Ni wnaeth ddim o'i le,
roedd ei deyrngarwch yn ddifai
a'i ymddygiad tuag ataf yn anrhydeddus.
Ond pan waeddodd y dorf ei enw ef yn hytrach na'm henw i,
a phan ddygais i gof i Dduw ei ddewis ef
a'm gwrthod innau,
meddiannwyd fi gan gythraul,
llifodd gwallgofrwydd drwy fy ngwythiennau.
Teimlwn fel un wedi ei dwyllo,
oherwydd fi oedd eilun y dorf ar un cyfnod,
fi a eneiniwyd gan Dduw,
a gwneuthum y gorau o'r fraint,
y bri
a chyfrifoldeb y cyfan.
Pwy oedd y llencyn hwn,
y neb hwn o Fethlehem,
i gamu i mewn i'm 'sgidiau i?

Pa hawl oedd ganddo,
pa reswm dros gredu y gallai gymryd fy lle
a hawlio fy nheyrnas?
Parodd y syniad i'm gwaed ferwi.
Gwn iddo ladd Goliath,
a gwrthsefyll bygythiad y Philistiaid.
Hwyrach i minnau wneud camgymeriadau,
derbyn y cyngor anghywir,
ond pam dylai hynny gostio fy ngorsedd?
Roeddwn mor barod i wrando â neb,
yn barod i ddysgu,
yn barod i wneud iawn, pe bai Duw yn caniatáu i mi.
Ond nid felly yr oedd hi i fod,
ac wrth i'r gwirionedd hwnnw wawrio arnaf
ffurfiodd cynllun yn fy meddwl –
cael gwared â Dafydd fyddai'n troi'r fantol o'm plaid.
Dylwn fod wedi gwybod yn well, wrth gwrs,
oherwydd nid Dafydd roedd yn rhaid i mi ei ofni,
ond Duw.
Ef oedd i benderfynu'r dyfodol, nid myfi;
y mae amseroedd pawb yn ei ddwylo ef.
Cefais fy nghyfle, a thaflais y cyfle i ffwrdd,
aberthu bendith Duw am wobr faterol.
Ac er y gallwn dwyllo fy hun
y byddai pethau'n wahanol y tro nesaf
ni allwn ei dwyllo ef.
Daeth yn amser newid,
ac wrth sefyll yno gyda Dafydd gwelwn pam.
Cafodd gyfle i'm lladd,
a gwyddai y byddwn i wedi ei ladd ef yn yr un amgylchiadau.
Gwell oedd ganddo roi'r gair terfynol i Dduw.
Dyna lle'r oedd y gwahaniaeth.

Gweddi
O! Dduw,
fe fyddwn yn sôn am roi'r gogoniant i ti,
ond ofnwn fod ein gogoniant ein hunain yn golygu mwy i ni.

Byddwn yn sôn am gyflawni dy ewyllys,
ond dilynwn ein hewyllys ein hunain.
Maddau i ni huodledd ein geiriau
a diffyg ein gweithredoedd.
Dysg i ni gyfrinach gwir ostyngeiddrwydd ac ymddiriedaeth,
fel y gelli ein defnyddio
yng ngwaith dy deyrnas,
yn dy ffordd dy hun ac yn dy amser dy hun.

32. WRTH EDRYCH YN ÔL RWY'N CYWILYDDIO

Dafydd

Darllen: 2 Samuel 11:2-6, 14-17, 26-27

Myfyrdod
Wrth edrych yn ôl rwy'n cywilyddio,
yn meddwl i mi fod
mor oer,
mor galed,
mor ddideimlad,
mor gynllwyngar yn ceisio'r hyn a chwenychais.
Ond ar y pryd doedd dim arlliw o gywilydd,
dyna sy'n fy nychryn i –
dim gronyn o edifeirwch.
Gwelais y wraig honno
a chwenychais hi;
aeth pob rheswm a synnwyr cyffredin i'r gwynt.
Yr oedd yn gwbl groes i bopeth a gredais,
ond doedd hynny ar y pryd ddim o bwys.
Twyllais a chynllwyniais,
gan yrru dyn dieuog i'r carchar.
Llofruddio a lladrata, dyna fy hanes,
yn gwbl ddall yn fy awydd i'w pherchenogi.
Gallwch hollti blew, os mynnwch,
a dadlau fod llawn cymaint o fai arni hi,
nad fi drawodd yr ergyd a laddodd ei gŵr –
ond does dim pwynt,
gwn yn fy nghalon mai fi oedd yn gyfrifol, a neb arall.
Bu'r peth yn cyniwair ynof wedi hynny,
yn gysgod ar ein perthynas.
Ond ni allaf gwyno; yr oeddwn yn haeddu'r cyfan a gefais
ac rwy'n ddiolchgar fod Duw, yn ei ras, wedi fy arbed rhag gwaeth.

Hoffwn gredu fy mod yn wahanol nawr,
yn hŷn ac yn ddoethach,
yn llai parod i fynd dros ben llestri ar amrantiad.
Ond nid wyf yn gwbl argyhoeddedig o hynny,
oherwydd gallaf gofio fel ddoe
y modd y teflais y cyfan i ffwrdd,
hyd yn oed fy ffydd,
pan gododd temtasiwn ei ben.
Mae arnaf gywilydd, credwch fi;
rwy'n ffieiddio gan faint fy ffolineb,
ond gwn, er bod yr ysbryd yn gryf, mae'r cnawd yn wan.
Duw a drugarhao wrthyf, bechadur!

Gweddi
Arglwydd,
mae'n hawdd condemnio.
Rydym ond yn rhy barod
i weld y gwaethaf,
i daflu'r garreg gyntaf.
Ond gwyddom yn ein calonnau nad oes gennym le i ymffrostio.
Yr ydym i gyd yn ffaeledig, a phawb ohonom yn gwneud
camgymeriadau.
Yr ydym, bawb ohonom, yn ddibynnol ar dy ras,
sy'n cynnig maddeuant y tu hwnt i bob haeddiant.
Dysg ni felly i ddangos trugaredd,
i weld ein beiau ein hunain
mor glir ag y gwelwn feiau eraill.

33. A DDYLWN FOD WEDI CAU FY NGHEG?

Nathan

Darllen: 2 Samuel 12:1-7

Myfyrdod

A ddylwn fod wedi cau fy ngheg?
Cefais fy nhemtio, rhaid i mi gyfaddef,
oherwydd doedd gennyf ddim syniad sut dderbyniad a gawswn,
a fyddwn yn gorfod talu'n ddrud am fod mor eofn.
Nid ydym yn hoffi cael ein beirniadu,
a phan ydych yn frenin, nid ydych yn meiddio.
Y mae'n sarhad ar ei urddas,
neu'n waeth fyth yn fradwriaeth.
Sut bynnag y ceisiwch eu hegluro,
roedd fy ngeiriau yn sicr o dramgwyddo.
Felly, pam trafferthu, meddech chi?
Pam mentro o gwbl,
oherwydd nid fy mhroblem i ydoedd yn y lle cyntaf?
Roedd y niwed eisoes wedi ei wneud;
dedfrydwyd dyn diniwed i farwolaeth,
doedd dim a allai ddad-wneud yr anfadwaith.
Felly pam ymyrryd?
Gwyddwn hynny,
a byddwn wedi bod wrth fy modd
yn cael golchi fy nwylo o'r cyfan,
mynd o'r tu arall heibio ac esgus na ddigwyddodd y peth o gwbl.
Ond ni allwn wneud hynny –
oherwydd yr oedd yn broblem i mi,
fy mhroblem i a phawb arall.
Nid yn unig oherwydd mai proffwyd oeddwn
a bod disgwyl i mi roi arweiniad,
ond am fy mod yn poeni am fy nghenedl,
ac am y gymdeithas lle'r oeddwn yn byw,

a, llawn mor bwysig, yr oedd gennyf gonsýrn am Dafydd.
Roedd yr hyn a wnaeth yn annerbyniol, doedd dim osgoi hynny –
dygodd anfri ar ein cenedl
a staen ar ei gymeriad –
ac, er i mi geisio deall
a rhoi fy hun yn ei 'sgidiau,
ni allwn anwybyddu'r sefyllfa.
Byddai anwybyddu'r sefylla yn rhoi tragwyddol heol i bawb.
Ai dyna'r math o fyd a ddymunwch?
Nid fi.
Felly yr oedd yn rhaid i mi weithredu,
rhaid oedd codi llais.
Doeddwn i ddim yn edrych ymlaen at hynny o gwbl.
Wrth sefyll gerbron Dafydd crynodd fy nghoesau a sychodd fy ngheg.
Credaf y buaswn wedi ei wynebu,
hyd yn oed pe bai fy ofnau wedi eu gwireddu.
Y mae rhai pethau yn rhy bwysig i ollwng gafael arnynt,
rhai pethau y mae'n rhaid bod yn barod i farw trostynt
os yw bywyd i fod yn werth ei fyw.

Gweddi

O! Dduw Hollalluog,
y mae llawer o lygredd yn ein byd,
llawer yn ein cymdeithas sy'n anghyfiawn.
Cyfaddefwn ein hamharodrwydd i ddatgan ein barn
oherwydd ein bod yn ofni'r canlyniadau.
Arglwydd,
er nad dy ddymuniad di yw i ni farnu eraill,
yr wyt yn dymuno i ni sefyll dros yr hyn sydd yn iawn
a gwrthwynebu popeth sy'n ddrwg.
Helpa ni i adnabod yr adegau hynny,
a rho i ni'r gwroldeb
i fod yn driw i'n hargyhoeddiadau,
ac yn ffyddlon i ti.

34. A DDYCHMYGODD Y BUASWN YN GWNEUD?

Solomon

Darllen: 1 Brenhinoedd 3:16-22, 24-28

Myfyrdod
A ddychmygodd y buaswn yn gwneud?
A barnu yn ôl yr olwg ar ei hwyneb doedd dim amheuaeth:
cymysgedd o arswyd ac anghrediniaeth.
Ni welais wraig yn newid mor sydyn.
Fe garodd y plentyn â'i holl enaid,
roedd yn barod i ddioddef uffern
er mwyn i'r plentyn gael byw.
Doedd dim amheuaeth pwy oedd y fam,
ac er i'r llall ddatgan ei phrotest,
gwyddai iddi golli'r dydd
ac i'w dichell gael ei datgelu.
Dylwn, mae'n debyg, fod wedi ei chosbi,
a chefais fy annog gan lawer i wneud,
ond wrth i mi edrych i fyw ei llygaid,
gwelais iddi ddioddef digon.
Ni fyddai'r un gosb bellach
yn cymharu â'r hyn a ddioddefodd eisoes.
Fe garodd llawn cymaint â'r llall,
gyda'r un ymroddiad.
Mae'n sicr y byddai wedi dangos yr un parodrwydd
i roi'r cyfan er mwyn ei phlentyn ei hun.
Ond iddi hi doedd hynny ddim yn ddewis.
Yr oedd ei phlentyn yn farw,
wedi ei ddwyn oddi arni,
a'i bywyd bellach yn wag,
yn anialwch llwm, diffaith a diystyr.
A allwn ei beio am eiliad o wallgofrwydd?

Nid oes dim all esgusodi yr hyn a wnaeth,
ond cysur roedd ei angen bellach nid condemniad,
llaw ar ei hysgwydd
yn hytrach na chwip ar ei chefn –
does ond gobeithio i rywun weld yn dda i wneud.
Derbyniodd yr achos hwnnw dipyn o sylw ymhlith y cyhoedd,
a gwnaeth fyd o les i'm henw da
fel gŵr Duw a ffynhonnell pob doethineb.
Ond na chredwch i'r cyfan orffen ar nodyn hapus.
I un efallai,
sef yr un y tramgwyddwyd yn ei herbyn.
Ond beth am y llall?
Parhaodd y boen a'r tristwch,
ddydd ar ôl dydd,
blwyddyn ar ôl blwyddyn,
hyd at ei hanadl olaf.
Felly os oes rhaid i chi gofio yr hyn a wneuthum y diwrnod hwnnw,
cofiwch amdani hithau,
os gwelwch yn dda,
a gweddïwch dros bawb sy'n dioddef yr un dynged.

Gweddi

Arglwydd,
y mae llawer o boen a thristwch dan wyneb ein byd.
Hawdd yw i ni gau ein llygaid i'r dioddefaint.
Maddau i ni yr adegau y bu i ni droi ein cefn ar eraill,
ac ychwanegu at eu poen.
Maddau i ni am fethu ymateb a thrwy hynny ddwysáu eu gofid.
Maddau i ni am ymgolli cymaint ynom ein hunain
fel y collwn olwg ar anghenion y rhai sydd o'n cwmpas.
Agor ein calonnau i bawb sy'n dioddef,
a gwna ein cariad yn weithredol
drwy ein parodrwydd i rannu a gofalu.

35. A OEDD HI'N WERTH DYFALBARHAU?

Elias

Darllen: 1 Brenhinoedd 19:9-13

Myfyrdod

A oedd hi'n werth dyfalbarhau?
Roeddwn i'n amau hynny weithiau.
Er gwaethaf popeth a wnaeth Duw,
yr holl arwyddion,
yr holl ryfeddodau,
yr oedd yn ymddangos nad oedd neb ond fi ar ôl,
yr unig un yn Israel a oedd yn barod i'w anrhydeddu.
Llwyddais i ddal ati yn y gorffennol,
pan oedd popeth yn ymddangos yn anobeithiol,
ond y tro hwn doedd dim byd yn magu hyder ynof.
Er iddo fychanu eu proffwydi,
a gwawdio eu duwiau,
yr oedd fy ngelyn yn parhau i'm herlid
ac yn fwy penderfynol nag erioed i'm difa.
Felly euthum i guddio.
Ac yno y daeth o hyd i mi,
y Duw sy'n gwrthod gollwng gafael,
ac yn galw arnaf i ddychwelyd.
Beth allwn ei wneud?
Wedi'r holl siomedigaethau
ymddangosai'r cyfan yn ofer,
eto ef oedd yr un peth sefydlog mewn byd ansefydlog.
Felly, euthum, fel y gorchmynnodd i mi, i ben y mynydd,
ac yno y cyfarfu â mi mewn ffordd na phrofais o'r blaen,
nid yn y gwynt,
nid yn y ddaeargryn,
nid yn y tân,
ond yn y distawrwydd llethol,

97

yn sŵn y tawelwch.
Eiliad annisgwyl,
ond eiliad i'w thrysori,
oherwydd sylweddolais fod Duw yn dweud rhywbeth arbennig wrthyf,
rhywbeth yr oedd angen mawr i mi ei glywed.
Doedd dim angen arwyddion a rhyfeddodau y tro hwn,
yr oedd yn llefaru yn y llonyddwch,
ac yn fy nysgu, er na allwn ei weld,
ac, er ei fod i bob pwrpas yn dawel,
yr oedd ef gyda mi bob amser,
yn fy ymyl hyd y diwedd.
Dychwelais yn eiddgar wedi hynny,
fy nghalon yn canu,
fy ysbryd ar dân.
A wyddoch chi beth?
Nid fi oedd yr unig un ar ôl;
yr oedd eraill,
mwy nag y gallwn freuddwydio,
yn dal yn driw i'r achos.
Dylwn fod wedi gwybod yn well –
gwybod na fyddai'n methu.
Mi wn hynny'n awr, a dywedaf hyn wrthych,
er i mi lefaru a methu clywed ateb,
er i mi edrych a methu gweld arwydd,
ni ildiaf na throi yn ôl.
Neilltuaf amser i ymlonyddu,
a llawenhau mai Duw sydd Dduw.

Gweddi

O! Dduw grasol,
ni fyddi bob amser yn ateb yn ôl ein dymuniad
neu weithio yn ôl ein cynlluniau.
Mae'n anodd dirnad dy bwrpas,
a'th ewyllys yn anodd ei amgyffred.
Fe fyddwn weithiau yn amau diben gweddïo.
Eto yr wyt yn ateb,
nid yn ôl y disgwyl,

nid yn ôl yr arfer,
ond yn y llef ddistaw fain –
sŵn dy eiriau hyd yn oed yn y distawrwydd.

36. DAETH YR AWR

Elias

Darllen: 2 Brenhinoedd 2:1, 9-13

Myfyrdod

Daeth yr awr,
yr awr y bûm yn ei hofni,
yn gobeithio na fyddai'n cyrraedd.
Ond wele, dyma hi
a doedd dim gobaith ei hosgoi!
Ni allwn ddilyn ôl traed y meistr mwyach,
yn ei wylio yn gweithio o ddiogelwch y cysgodion.
Yr oeddwn ar fy mhen fy hun bellach –
yn parhau'r gwaith a gyflawnodd ef.
Yr oedd y rhagolygon yn arswydus,
a maint y dasg yn fy llethu.
Do, bûm yn gwylio a gwrando fel y dywedai,
yn dal gafael ar bob gair a phob gweithred ddydd ar ôl dydd,
a do, buom yn trafod y peth yma a'r peth arall
hyd yr oriau mân ganwaith.
Ond ef oedd yr arweinydd erioed,
yr un yr edmygais,
fy arwr ers cyn cof.
Fi, nid oeddwn ond gwas,
dim byd mwy,
heb yr un cymhwyster i hynny,
heb sôn am sefyll yn esgidiau'r dyn mawr.
Ond gwyddwn ers amser fod ganddo gynlluniau ar fy nghyfer,
a phan drodd ataf y bore hwnnw, arswydais.
Doeddwn i ddim yn teimlo'n barod;
o'r braidd yr oeddwn wedi torri dannedd.
Rhyw ddydd efallai –
ond dim eto os gwelwch yn dda!

Ond ni allwn ddweud hynny
o weld yr olwg yn ei lygaid
a'r hyder a ddangosodd ynof.
Er yn gyndyn, fe dderbyniais
ar un amod –
y rhoddai ddeuparth o'i ysbryd i mi.
A oedd hynny'n swnio'n farus?
Nid dyna fy mwriad.
Ymwybodol o'm gwendid yr oeddwn o'i gymharu â'i gryfder ef –
heb gymorth buasai ar ben arnaf.
A synnwyd ef gan fy hyfdra?
Do braidd.
Ond mwy na hynny, fe'i siomwyd,
am i mi, wedi'r holl flynyddoedd,
fethu gofyn am ddim byd amgenach.
Felly, a gefais yr hyn y gofynnais amdano?
Gwyliais ef yn fanwl fel y dywedodd wrthyf,
ac wrth iddo ddiflannu o'm golwg
gwawriodd arnaf yr hyn y dymunodd ef i mi ei weld.
Nid ei ysbryd *ef* a'i cynhaliodd yn ei weinidogaeth
ond ysbryd Duw –
ac yn awr llifodd yr ysbryd hwnnw
a'i cynhaliodd cyhyd drwof finnau.
A yw hynny yn ateb eich cwestiwn?
Atebodd fy nghwestiwn i.
Yr oeddwn yn dal i gerdded yn ôl traed y Meistr,
fel y gwnaeth y dyn mawr o fy mlaen i!

Gweddi

O! Dduw cariad,
nid yw'n hawdd ysgwyddo cyfrifoldebau.
Haws gennym rannu beichiau eraill,
cael rhywun arall i bwyso arno,
gan wybod y byddant yno bob amser i gefnogi.
Ond daw amser y mae'n rhaid sefyll ar ein traed ein hunain
a derbyn yr her a ddaw i'n rhan.
Dysg i ni, ar yr adegau hynny,

er ein bod yn teimlo'n wan ac yn ddiymadferth,
nad ydym fyth yn amddifad.
Yr wyt ti yno bob amser.
Dysg i ni ymddiried yn dy nerth,
a thrwy gymorth dy ysbryd
gyflawni'r gwaith a ymddiriedaist ti i ni.

37. PWY A FEDDYLIODD OEDDWN?

Naaman

Darllen: 2 Brenhinoedd 5:1-5, 9-15

Myfyrdod

Pwy a feddyliodd oeddwn – dyna roeddwn i am ei wybod!
Nid ymwelydd cyffredin oeddwn,
un o'i gwsmeriaid wythnosol.
Yr oeddwn yn enwog drwy'r wlad,
yn gapten byddin brenin Syria,
ac yn gymeradwy yn y cylchoedd mwya'u bri.
A pham lai? –
onid oeddwn wedi eu harwain i fuddugoliaeth yn groes i bob disgwyl,
gan amlygu fy newrder a'm dawn fel arweinydd?
Felly, pan orchmynnodd y sbrigyn hwn o broffwyd o Israel
i mi ymdrochi yn yr Iorddonen,
roeddwn yn gandryll.
Yr oedd yn sarhaus,
yn ymgais bwriadol i'm bychanu.
Pe bawn i adref yn fy ngwlad fy hun
byddwn wedi ei gadwyno a'i fflangellu yn y fan a'r lle.
Cofiwch, doeddwn i ddim yn synnu;
roedd gennyf fy amheuon o'r cychwyn cyntaf,
yr eiliad y cafodd y weinyddes fach honno'r syniad yn ei phen.
Mae'n debyg ei bod yn meddwl yn dda,
a chyffyrddwyd fi gan ei diddordeb;
ond mewn difrif calon,
Israel – dydy'r lle ddim yn ganolbwynt y cread wedi'r cyfan!
Felly, dyna lle'r oeddwn,
yn berwi mewn tymer,
ac yn ceisio argyhoeddi fy hun
imi fod yn ffŵl i wrando arni.
Ond cymerodd un o'm dynion fi o'r neilltu,

a sylwais ei fod yn hanner disgwyl i mi ei labyddio,
ond, wrth i'r llwon ffurfio ar fy ngwefusau,
teimlais fod ei eiriau'n gwneud synnwyr i mi.
Beth oedd gennyf i'w golli? –
does bosib nad oedd unrhyw beth yn well
na'r dynged oedd yn fy nisgwyl?
Wedi'r cyfan, afon yw afon, boed hi yn Aram neu Jwdea.
Fy malchder, a dim arall oedd yn fy nal yn ôl,
hunanbwysigrwydd yn fy rhwystro
rhag cymryd y cam pwysicaf yn fy mywyd.
Felly, euthum yn ôl,
ac at yr afon,
fel y dywedwyd wrthyf;
a phan godais o'r dŵr y seithfed tro,
nid fy nghroen yn unig a adnewyddwyd,
ond fy meddwl,
fy enaid,
fy mhopeth –
a bywyd yn fwy gwerthfawr nag a fu erioed!
Pwy oedd e'n credu ydoedd? –
dyna fy nghwestiwn ar y dechrau,
ond ar fy ffordd adref,
sylweddolais fy mod yn gofyn y cwestiwn anghywir
i'r person anghywir!
Oherwydd cyffyrddwyd â mi gan ei Dduw,
Duw annhebyg i'r un a welais o'r blaen,
a Duw oedd yn gofyn i mi
pwy oeddwn *i* yn credu oedd *ef*?

Gweddi

Arglwydd,
yr wyt yn galw arnom i'th ddilyn yn ostyngedig,
ond cyfaddefwn ein bod yn llawn hunanbwysigrwydd.
Credwn mai ni sy'n gwybod orau.
Credwn y gallwn fyw heb gymorth eraill.
Mae gennym fwy o ddiddordeb yn ein gogoniant ein hunain
nag yn dy ogoniant di.

Maddau i ni am edrych i mewn yn hytrach nag edrych allan.
Maddau ein bod mor llawn ohonom ein hunain
fel ein bod yn ddall i'th arweiniad di.
Dysg i ni ymostwng gerbron dy hollalluogrwydd,
fel y gelli di ein codi i fyw ein bywyd yn ei holl gyflawnder.

38. BETH OEDD SAIL FY HYDER?

Heseceia

Darllen: 2 Brenhinoedd 18:1, 3, 5-7, 13, 17a, 28-32a; 19:15-19

Myfyrdod
Beth oedd sail fy hyder?
Dim llawer, a dweud y gwir;
byddai rhai am ddweud dim o gwbl!
Pysgodyn bach mewn môr mawr oeddem ni;
roedd y posibilrwydd o gael ein llyncu
yn dod yn fwy tebygol wrth y funud.
Felly, pam dal i frwydro?
Oni ddaeth hi'n amser i ni wynebu ffeithiau?
Gwell plygu ychydig na chael ein torri'n llwyr,
dyna farn rhai ohonynt –
bod yn barod i symud gyda'r oes,
mynd gyda'r llif –
byddai Duw yn deall yn iawn.
Mae'n debyg y byddai,
oherwydd, er gwaetha'r hyn a ddywed rhai,
bu'n fwy amyneddgar,
yn fwy cariadus,
yn barotach i ddeall nag a freuddwydiodd neb erioed.
Ond roeddwn wedi cyfaddawdu digon fel ydoedd,
a phe bawn yn teithio'n bellach ar hyd y ffordd honno
mae'n amlwg beth fyddai diwedd y daith.
Byddem yn goroesi rhywsut,
ond byddai unrhyw fywyd wedi ei sugno ohonom,
ac ni fyddem ond cysgod o'r hyn oeddem.
Gwyddwn y byddai'n rhaid talu'n ddrud iawn am heddwch.
A allem fod wedi dioddef hynny?
Ein ffydd wedi'i sathru,

ein hunaniaeth wedi mynd am byth?
Ni allwn i oddef hynny,
a gwn fod fy mhobl, er gwaethaf eu hamheuon,
yn credu hynny hefyd.
Felly, gwnes fy safiad;
dyma daflu'r her,
a sefyll fy nhir.
Doedd dim llawer o sail i obeithio, mae'n rhaid cyfaddef.
Yr oedd ein gelynion yn cau amdanom,
a gwyddwn fod ganddynt y grym i'n trechu,
i ysbeilio ein cartrefi, ein cyfoeth a'n rhyddid.
Ond, er hynny, byddai Duw gyda ni o hyd;
ni allai neb ond ein hunain ei ddwyn ef oddi arnom.
Yr oedd yn eglur i mi,
er y byddai'n rhaid talu'n ddrud,
mai ni fyddai'n cael y fargen orau,
yr unig wobr gwerth ei chael.

Gweddi

O! Dduw ein Tad,
byddwn yn ansicr weithiau o'r ffordd ymlaen.
Hoffem i fywyd fod yn haws,
a sylweddolwn nad oes atebion parod i argyfyngau bywyd.
Rho i ni dy arweiniad,
fel y byddwn yn gwybod pryd i blygu
a pha bryd i sefyll.
Gwna ni'n wylaidd
i fedru gwrando ar safbwynt eraill,
ond rho i ni wroldeb
i ddal gafael ar ein hegwyddorion pan fydd angen.
Uwchlaw popeth, cadw ni'n ffyddlon i ti,
er gwaetha'r pwysau i gyfaddawdu,
a ninnau'n gwybod y byddi di'n parhau yn ffyddlon i ni.

39. WYDDOCH CHI BETH Y DAETHOM O HYD IDDO HEDDIW?

Joseia

Darllen: 2 Cronicl 34:14-21

Myfyrdod
Wyddoch chi beth y daethom o hyd iddo heddiw,
wedi ei guddio yn y deml?
Mentrwch hi!
Mantell offeiriadol?
Crair cysegredig?
Negesydd nefolaidd?
Na, dim byd felly.
Rhywbeth llawer symlach,
ac eto yn fwy syfrdanol.
Sgrôl, dyna beth ydoedd,
wedi ei chadw'n daclus,
a'i rhwymo'n ofalus.
'Beth sy'n syfrdanol am hynny?' meddech chi.
Ond nid unrhyw fath o sgrôl ydoedd,
ond llyfr cyfraith yr Arglwydd,
gair Duw i Moses,
dogfen sylfaen ein cenedl –
ac fe anghofiwyd am ei bodolaeth!
Allwch chi ddychmygu fy nheimladau,
yn clywed y geiriau hynny unwaith eto –
Duw yn llefaru eto,
yn amlinellu ei ewyllys i'w bobl?
Llethwyd fi gan emosiwn,
a rhyw gymysgedd rhyfedd o lawenydd a siom.
Sut gallai'r etifeddiaeth amhrisiadwy yma
gael ei chloi o'r golwg am flynyddoedd,
heb ei chyffwrdd,
heb ei darllen,
heb ei hystyried?

Sut digwyddodd y fath beth mewn difrif calon?
Sut gallai rhywbeth mor dyngedfennol,
mor ganolog i'n ffydd,
fynd yn angof?
Ie, mae'n wir –
angof pob anwel.
Yr oedd yn anghredadwy,
ac eto'n wir;
roedd y dystiolaeth yno o flaen fy llygaid.
Beth wnes i?
Gweithredu wrth gwrs!
Gweithredu er sicrhau na fyddai'r fath beth yn digwydd eto.
Ond tybed a fydd y camau a gymerwyd yn ddigonol?
Dysgwyd gwers, credwch fi,
ond a wnaiff y genhedlaeth nesaf ddysgu o'n camgymeriadau ni?
Roedd gair Duw yn ein meddiant,
gair y bywyd,
ond ni welsom yn dda i'w ddarllen,
gan ei adael mewn cwpwrdd i gasglu llwch.
Does bosib y bydd rhywun arall mor ffôl
â gwneud yr un peth?
Tybed?

Gweddi

O! Dduw trugarog,
llefaraist wrthym nid yn unig drwy'r Gyfraith,
ond drwy'r proffwydi,
drwy eiriau doethineb, hanes a'r salmau,
a thrwy dystiolaeth yr Efengylwyr a'r Apostolion.
Diolch am gael dy air yn ein hiaith ein hunain.
Maddau i ni am ei adael ar y silff,
heb ei agor, heb ei chwilio.
Helpa ni i sylweddoli'r trysor
a roddaist i ni yn yr Ysgrythurau,
a dysg ni, ym mhrysurdeb bywyd,
i neilltuo amser i'w ddarllen yn fyfyriol ac yn addolgar.
Llefara eto, Arglwydd,
goleua ein llwybr
a dangos i ni'r ffordd i fywyd sydd yn fywyd yn wir.

40. ALLWN I WNEUD GWAHANIAETH?

Esther

Darllen: Esther 3:8-10; 4:1, 5, 9-16

Myfyrdod

Allwn i wneud gwahaniaeth?
Roedd hi'n anodd credu,
yn wir, yn afresymol i gredu,
ond yr oedd yn rhaid i mi wneud rhywbeth;
byddai unrhyw beth yn werth y cynnig.
Roedd fy mhobl dan fygythiad,
nid un neu ddau ond pawb ohonynt,
yn wynebu cyflafan.
Ni allwn ganiatáu iddynt wynebu'r fath dynged,
pa mor dila bynnag fyddai fy ymdrechion.
Yr oedd cwlwm rhyngom,
yr un diwylliant,
yr un ffydd,
yr un Duw.
Os gallai rhywun helpu, fi oedd honno.
Ni allwn warantu dim, gwyddwn hynny –
doedd y ffaith mai fi oedd ei wraig yn golygu dim.
Ef oedd y brenin,
llywodraethwr ymerodraeth fawr,
bywyd a marwolaeth yn dibynnu ar ei fympwy;
dim ond un oeddwn i o'r niferoedd oedd yn ceisio ffafr.
Bodlonais ef unwaith –
allwn i wneud hynny eto?
Nid fy nyfodol i fy hunan oedd yn dibynnu ar yr ateb,
ond dyfodol fy nghenedl oedd yn crogi ar dennyn.
Doedd dim petruster,
dim ailfeddwl,
oherwydd gwyddwn mai ar gyfer y fath amser â hwnnw

y gosododd Duw fi yno.
Dyma fy nghyfle i'w wasanaethu,
i wneud fy rhan dros ei deyrnas,
ac ni allwn wastraffu'r cyfle hwnnw.
Felly, i ffwrdd â mi,
gan anwybyddu traddodiad,
anwybyddu pob rheol,
a mynd i mewn i'w ystafell a sefyll o'i flaen.
A synnwyd ef?
Roeddwn yn rhy ofnus i sylwi,
ond, er syndod i mi, fe wrandawodd –
yn astud –
ac wedi i mi orffen rhoddodd y gorchymyn,
nid i'n dedfrydu *ni* i farwolaeth,
ond y sawl a fynnai ein difa!
Yr oeddem yn ddiogel,
yn rhydd i gerdded y strydoedd â'n pennau'n uchel.
Gyda'n gilydd rhoesom ddiolch i Dduw.
Ond wyddoch chi beth ddigwyddodd nesaf?
Ofnaf i mi ddod yn enwog,
er mawr embaras i mi.
Na, nid bod yn wylaidd yw fy mwriad, beth bynnag a feddwl pobl.
Mentrais, mae hynny'n wir,
ac fe allai fod wedi costio fy mywyd.
Gwneuthum yr hyn a allwn, dyna i gyd,
yr hyn y byddai Duw wedi'i ddisgwyl gan rywun –
roedd y gweddill yn dibynnu arno ef.

Gweddi
Arglwydd,
daw cyfle o bryd i'w gilydd i bawb ohonom dy wasanaethu;
i ddefnyddio ein doniau, ein safle neu'n hamgylchiadau
i hyrwyddo dy bwrpas.
Nid oes gorfodaeth arnom i ymateb iti,
ond yr wyt yn ein gwahodd i rannu
y gwaith o wireddu a daearu dy gariad ar y ddaear.
Gallwn roi ein hunain neu ddal yn ôl.

Maddau i ni am ddal yn ôl cyhyd.
Ysbrydola ni drwy esiampl y rhai a fentrodd bopeth
er mwyn dy deyrnas,
a helpa ni,
o gofio'r Un a aberthodd y cwbl,
i roi'r ychydig a ddisgwyli di gennym.

DOETHINEB, CANEUON A HANESION

41. BETH WNES I O'I LE?

Job

Darllen: Job 23:2-17

Myfyrdod
Beth wnes i o'i le, all rhywun ddweud wrthyf?
Pa drosedd fyddai'n haeddu'r fath boen,
y fath ofid,
y fath ddioddefaint?
Gofynnais y cwestiwn hwn bob dydd,
o flwyddyn i flwyddyn;
mae'r cwestiwn yn dal gyda mi,
yn gwrthod distewi
er gwaethaf fy ymdrechion i ddifa ei wenwyn.
Eto, er yr holl chwilio, nid oes ateb,
dim un eiliad o wallgofrwydd
i egluro'r holl fisoedd o ddiflastod.
Do, mi wnes gamgymeriadau fel pawb arall –
geiriau ffôl,
meddyliau ffôl,
gweithredoedd ffôl –
ond dim byd syfrdanol,
dim gwaeth na neb o'm cwmpas,
felly pam mai fi sy'n gorfod dioddef ac nid y nhw?
Nid yw'n gwneud synnwyr;
ceisiais fod yn ffyddlon ar hyd fy oes,
ceisio ewyllys yr Arglwydd yn feunyddiol,
myfyrio yn ei air,
dilyn ei orchmynion,
felly pam cuddio ei wyneb oddi wrthyf
yn nydd fy anobaith?
'Edifarha!' Dyna beth maent yn ei ddweud wrthyf.
Cydnabod dy wendid,

a bydd popeth yn iawn.
Maent yn meddwl yn dda,
pob un yn ei ffordd ei hun,
yn ceisio esbonio'r anesboniadwy,
ond pe byddent yn sylweddoli y boen ychwanegol
y maent yn ei achosi i mi,
hwyrach y dysgent fod yn ddistaw,
gan gydnabod bod ffyrdd yr Arglwydd y tu hwnt i ni i gyd.
Nid wyf yn eu beio;
mae pawb yn chwilio am atebion,
datrysiad hawdd i gwestiynau anghyffyrddus,
ond derbyniwch air o brofiad gennyf fi,
a brofodd ddioddefaint y gweddïaf
na fydd angen i chi ei brofi byth –
nid yw mor syml â hynny,
dim o gwbl.

Gweddi

Arglwydd, mae cymaint o ddioddefaint yn ein byd;
cymaint o boen, cymaint o ofid a drygioni.
Mae'n anodd cysoni yr hyn a welwn â'th gariad di.
Chwiliwn am atebion,
ac yn aml bydd ein ffydd yn gwegian.
Dysg i ni sylweddoli,
er na allwn dy weld, dy fod ti yno,
yn rhannu'r ing a'r boen.
Dysg i ni gofio
na fydd gorffwys i ti
hyd nes y gwawria'r dydd
pan na fydd poen na drygioni mwyach.

42. YR OEDDWN YN ARFER CHWERTHIN ERSTALWM

Job

Darllen: Job 29:1-6; 30:16-23

Myfyrdod

Yr oeddwn yn arfer chwerthin erstalwm,
fy mywyd yn gorlifo o lawenydd.
Mae'n anodd i chi gredu hynny heddiw.
Nid wyf yn synnu,
oherwydd o'm gweld i heddiw –
rhychau gofid ar fy nhalcen,
yr anobaith yn fy llygaid –
gallech daeru na fu ond gofid yn fy mywyd.
Ond nid felly y bu, o bell ffordd.
Bu amser pan oedd fy ysbryd yn hedfan yn uchel
a'm calon ar dân,
pan ddeuai pob gwawr â'i addewid newydd,
pob dydd yn drysor,
pob munud yn rhodd i'w sawru.
Llawenychais ym mhrydferthwch y cyfan,
syfrdanwyd fi gan ryfeddod y greadigaeth
a melyster bywyd.
Clodforais yr Arglwydd am ei ddaioni
a'i fawl ar fy ngwefusau bob dydd.
Ond erbyn heddiw nid yw'r dyddiau hynny
ond atgof prin,
mor brin fel y byddaf weithiau yn amau a fuont o gwbl.
Ond ofer yw edrych yn ôl;
does dim atebion yno.
Y dyfodol sy'n cyfrif,
ac er gwaethaf y cwbl rwy'n disgwyl yn hyderus,
yn argyhoeddedig y bydd Duw gyda mi i'm harwain;

oherwydd, credwch neu beidio, drwy'r boen a'r torcalon
rwyf wedi tyfu,
fy ffydd yn gryfach,
wedi ei phuro drwy dân,
ac yn alluog i wrthsefyll beth bynnag ddaw.
Ni fyddaf yn dathlu fel bu'n arfer gennyf,
oherwydd bydd y creithiau'n parhau hyd fy medd,
ond mi chwarddaf gyda dealltwriaeth well,
caru'n fwy angerddol,
a byw gydag ymdeimlad cyfoethocach o bwrpas,
oherwydd rwyf wedi syllu i'r tywyllwch,
rhyw ddüwch y tu hwnt i eiriau,
ac yno daeth Duw i'm cyfarfod,
a'i bresenoldeb yn goleuo'r cyfan!

Darllen: Job 38:1-2; 40:7-9; 42:1-6

Gweddi
O! Dduw,
daethost i'n byd yn Iesu Grist,
ac er gwaethaf popeth mae dy gariad yn llewyrchu drwyddo.
Trechaist rym y drwg,
a choncro colyn angau.
Dygaist lawenydd o dristwch,
gobaith o anobaith.
Dysg ni, beth bynnag a ddaw,
y bydd i ti bob amser ein harwain allan o dywyllwch
i'th ryfeddol oleuni di.
Dal ni, ein Duw,
dal ni i'r lan yn ein horiau gwaethaf
a rho i ni brofi o'th allu adnewyddol.

43. A YDYW'N BOSIBL?

Dafydd

Darllen: Salm 8

Myfyrdod

A ydyw'n bosibl?
A ydyw'n wir fod gan Dduw amser i chi a minnau?
Mae'n swnio'n afresymol,
yn anghredadwy,
oherwydd pa reswm sydd gan Dduw i boeni am ein tynged?
Edrychaf ar ehangder y nefolion leoedd
a gwaith ei fysedd
a gwelaf nad ydym ni'n ddim ond sbecyn o lwch ar gefndir hanes.
Ac eto, yn rhyfeddol,
yr ydym yn cyfrif.
Nid yn unig fod Duw yn *sylwi* arnom,
ond yr ydym yn *werthfawr* yn ei olwg,
yn arbennig,
yn unigryw,
yn dal safle breiniol yn ei serch a'i bwrpas.
A all hyn fod yn wir?
Ychydig is na Duw ei hunan,
wedi ein creu ar ei lun?
Mae'n swnio'n rhyfedd,
bron yn gableddus,
oherwydd pwy ydym ni –
gwan, dynoliaeth fregus, bechadurus –
i'n cyffelybu i'r Hollalluog,
creawdwr cyrrau'r ddaear,
perffaith yn ei sancteiddrwydd?
Ac eto dyna chi,
mae'n rhyfeddol o wir,
nid rhan o'r greadigaeth ond yn stiwardiaid y greadigaeth –

anifeiliaid y meysydd,
adar yr awyr,
pysgod y môr –
eu dyfodol yn ein dwylo;
y byd hwn,
mor brydferth,
mor fregus,
wedi ei ymddiried i ni ofalu amdano.
Dyna faint ei gariad tuag atom,
a phrawf o'i ofal trosom.
Dyna i chi fraint!
Dyna i chi gyfrifoldeb dychrynllyd!

Gweddi

Arglwydd pawb,
mae dy gariad yn golygu cyfrifoldeb
yn ogystal â braint.
Mae'n safle yn y greadigaeth
yn golygu cyfrifoldeb i'w feithrin
yn hytrach nag ymelwa arno.
Maddau i ni am ein rhan mewn cymdeithas
sydd wedi byw i heddiw
heb ystyried yfory,
wedi ysbeilio adnoddau'r ddaear
heb ofal am y canlyniadau.
Heria galonnau a meddyliau pobl ym mhobman,
fel y gwerthfawrogant
ryfeddod a breuder y cread a roddaist i ni.
Gweddïwn yn enw Iesu Grist.

44. RWY'N DDYN FFODUS

Dafydd

Darllen: Salm 16

Myfyrdod

Rwy'n ddyn ffodus –
lle mawr i ddiolch,
cymaint i'w ddathlu,
fy mywyd yn llawn o bethau da!
Na, rwy'n cyfaddef nad oes gennyf bopeth,
a gallwn newid ambell beth,
ond dim byd mawr,
yn sicr dim byd i boeni amdano,
oherwydd pan oedaf i gyfrif fy mendithion,
a'u pwyso yn y glorian,
rwy'n sylweddoli pa mor ffodus ydwyf. Ni ddylwn fod wedi anghofio,
wrth gwrs,
ond mi wnes,
ac mi wnaf,
dro ar ôl tro,
ac nid anghofio diolch yn unig,
ond cwyno
ac edliw fy amgylchiadau,
myfyrio ar y drwg yn hytrach na'r da.
Mae'n wirion, rwy'n gwybod,
ond onid ydym i gyd yn ymddwyn felly? –
cymryd cymaint yn ganiataol,
ac ymateb mor dila i drysor mor fawr.
Felly y bydd hi, mae'n debyg,
er gwaetha'r bwriadau da,
bydd y diolchgarwch a deimlaf nawr
wedi diflannu cyn i mi sylwi.
Byddaf yn parhau i deimlo'n hunandosturiol,

yn eiddigeddus wrth fy nghymydog
ac yn cwyno fod bywyd yn annheg.
Ond heddiw, o leiaf, rwyf am ddiolch,
rwyf am ddathlu yr hyn sy'n dda ac yn arbennig mewn bywyd,
ond, uwchlaw popeth, rwyf am foliannu Duw,
yr Un rwy'n ddyledus iddo am y cyfan.

Gweddi
Arglwydd,
mae gennym gymaint i ddiolch amdano,
ac eto fe gymerwn y cyfan yn ganiataol.
Yn hytrach na chyfrif ein bendithion,
fe ganolbwyntiwn ar ein problemau.
Yn hytrach na dathlu yr hyn a roddaist,
fe bendronwn ar yr hyn y gallem eto ei gael.
Yn ein hymchwil am ddiddanwch
collwn olwg ar y bendithion a ddaw bob dydd yn newydd.
Maddau i ni am anghofio pa mor ffodus ydym,
a helpa ni i werthfawrogi rhyfeddod
yr hyn a dderbyniasom.

45. TEIMLAIS YN UNIG

Dafydd

Darllen: Salm 22:1-2, 7-11, 16b-19, 23-24

Myfyrdod

Teimlais yn unig,
wedi fy ngadael,
nid yn unig gan ddyn ond hefyd gan Dduw;
yr oeddwn yn amddifad,
wedi torri,
yn gorff, meddwl ac ysbryd.
Sut gallai hyn ddigwydd?
Sut gallai Duw fy arwain mor bell,
bob amser yn fy ymyl,
ac eto fy ngadael pan oedd ei angen fwyaf?
Nid oedd yn gwneud synnwyr i mi;
taflwyd fy ffydd i'r ffau,
oherwydd tanseiliwyd y cyfan:
y cariad a'r trugaredd a brofais gyhyd.
Pan lefais yn fy ing,
doedd dim byd –
dim gair,
dim arwydd –
dim;
dyma awr dywyllaf fy mywyd.
Roeddwn am ollwng gafael,
rhoi'r gorau iddi,
oherwydd oni fyddai marwolaeth
yn well na hyn?
Eto, rywsut, daliais fy ngafael.
Er gwaetha'r gwacter
a'r distawrwydd llethol,
daliais ati i weddïo,

gan gofio yr hyn a wnaeth Duw.
A rhywle o'm mewn, enynnwyd gobaith,
fel cannwyll grynedig
yn mudlosgi,
fel fflam a ddaliwyd yn y gwynt yn ailafael,
yn gwrthod diffodd.
Aeth amser heibio cyn i'r cwmwl godi;
nid dyddiau, ond wythnosau, misoedd –
brwydr hir ac unig yn yr anialwch.
Bu i mi amau'n fynych
a ddeuai llawenydd eto,
ond deuthum drwyddi yn ddiogel
yn gryfach o gael y profiad.
Nid oedd Duw wedi fy ngadael;
bu yno ar hyd y daith,
yno yn y tywyllwch
yn rhannu fy ngofid,
yn dwyn fy maich.
Am ysbaid credais i mi ei golli,
profais ing gwahanu,
profiad tu hwnt i bob dychymyg.
Duw a waredo neb rhag wynebu hynny eto.

Gweddi
Arglwydd grasol,
mae adegau pan yw bywyd yn dywyll
a'th bwrpas yn anodd ei ddirnad;
mae cymaint na allwn ei ddeall.
Galwn arnat ond ni chlywn di yn ateb,
ceisiwn dy bresenoldeb ond teimlwn yn unig.
Helpa ni, ar adegau felly, i gofio dy ffyddlondeb.
Helpa ni i gofio dyfodiad dy oleuni i'r byd,
a chredu na all dim drechu'r goleuni hwnnw.
Pan ollyngwn ni ein gafael ynot ti,
dal di dy afael ynom ni,
yn enw Iesu Grist,
yr hwn a fu farw ac a gyfododd.

46. GWELAIS EF AR Y MYNYDDOEDD

Dafydd

Darllen: Salm 23

Myfyrdod
Gwelais ef ar y mynyddoedd;
roedd y nos yn cau yn dynn,
yr awel yn fain –
bugail unig
yn syllu,
yn chwilio am ddafad ar grwydr.
Yn sydyn, daeth yr atgofion yn ôl,
oriau hir fy mhlentyndod
yn y meysydd yn gwylio praidd fy nhad.
Dyddiau da, ar y cyfan –
amser i feddwl,
i weddïo,
neu i eistedd yn ôl a mwynhau harddwch y byd a roddodd Duw.
Ond bywyd anodd hefyd,
peryglus weithiau –
allan ym mhob tywydd,
ynghanol anifeiliaid gwylltion,
yn gwylio hyd yr oriau mân.
Doniol iawn, mewn gwirionedd –
y cwbl oherwydd criw o ddefaid,
nid y creaduriaid callaf o anifeiliaid y maes.
Rydych yn gwneud eich gorau i'w helpu, a beth a wnân nhw?
Mynd i grwydro yr eiliad y'ch gwelant.
Ceisiwch eu hamddiffyn,
ond hanner cyfle, ac i ffwrdd â nhw eto,
yn syth i ddannedd perygl.
Sôn am eich gwylltio!
Eto mae rhyw gwlwm yn ffurfio rhyngoch,
sy'n peri i chi wneud unrhyw beth dros y defaid,
hyd yn oed mentro eich bywyd eich hun.

Ydych chi'n meddwl fod hynny'n od?
Ddylech chi ddim,
oherwydd creaduriaid digon tebyg ydym ninnau,
yn ffôl, cyndyn, pryfoclyd –
dilyn y dorf,
anwybyddu arweiniad,
brasgamu i gyfeiriad y dibyn.
Pam y dylai rhywun drafferthu ynglŷn â ni?
Ac eto, fe wna'r Arglwydd,
fel bugail,
ein hamddiffyn, ein harwain a'n porthi,
ein ceisio pan fyddwn ar goll,
a llawenhau pan ddaw o hyd i ni,
ein hamddiffyn rhag drwg,
ein cyfarfod yn ein hangen.
A fentrai ef ei fywyd drosom, fel y gwnawn ninnau i'r defaid?
Mae'n swnio'n ormod i'w gredu, mi wn,
ond pan ystyriaf faint ei gariad,
a'r gofal a ddengys bob dydd,
rwy'n credu y byddai;
nid yn unig mentro ei fywyd,
ond, pe byddai raid – rhoi ei fywyd,
marw er mwyn i ni gael byw.

Gweddi

Arglwydd,
er i ni grwydro'n aml
yr wyt ti yn ein ceisio
a'n gosod ar ein traed.
Moliannwn di am ryfeddod dy ras;
am dy barodrwydd drwy Iesu Grist
i roi dy fywyd er mwyn y byd.
Diolchwn i ti am dy ddarpariaeth i ni.
Trugarha wrth ein methiannau
a pharha i'n harwain a'n gwylio
hyd yn oed pan gollwn ni olwg arnat ti.
Arwain ni drwy droeon yr yrfa
a thrwy lyn cysgod angau
hyd nes y cyrhaeddwn i'th deyrnas yn ddiogel.

47. BETH ALLAF DDWEUD, ARGLWYDD?

Dafydd

Darllen: Salm 51:1-12

Myfyrdod

Beth allaf ddweud, Arglwydd?
Beth *allaf* ddweud?
Rwyf wedi methu eto!
Er yr holl addewidion,
yr holl fwriadau da,
rwyf wedi dy siomi eto
fel y gwnes droeon o'r blaen.
Ac rwy'n sâl,
yn cywilyddio,
yn gwrido fy mod mor druenus o wan,
mor anobeithiol o ffug.
Ymdrechais mor galed, dyna sy'n fy ngwylltio y tro hwn.
Roeddwn yn benderfynol o wneud iawn am fethiannau'r gorffennol,
a dangos fy mod o ddifrif y tro hwn,
dangos fod yr ymddiriedaeth a roddaist ynof,
dy barodrwydd i faddau,
yn golygu rhywbeth imi.
Ond allwn i wneud hynny?
Na.
Ychydig oriau efallai,
ychydig ddyddiau,
ond yn y diwedd syrthiais, yn ôl fy arfer,
a dychwelyd i'r hen lwybrau cyfarwydd.
Pam, Arglwydd?
Beth sydd o'i le arnaf?
Ni allaf newid,
er i mi geisio newid.
Rwy'n rhy wan,

mae'r gwendid yn gymaint rhan ohonof,
i mi fedru ei drechu fy hunan.
Mae'r cyfan yn dy ddwylo di, Arglwydd,
gennyt ti yn unig y mae'r gallu i'm cynorthwyo.
Gwn nad wyf yn ei haeddu,
nad oes gennyf hawl ar dy gariad na'th drugaredd,
ond rwy'n erfyn arnat,
yn ymbil ar fy ngliniau,
maddau fy anwireddau.
Edrych yn drugarog arnaf er gwaethaf fy ffolineb;
glanha fy nghalon ac adnewydda fy ysbryd.
Llunia fi,
maddau i mi,
adfer fi,
fel y gallaf, rhyw ddiwrnod, drwy dy ras,
dy wasanaethu fel y dylwn.
Arglwydd, yn dy drugaredd, clyw fy ngweddi.

Gweddi
Arglwydd,
hawdd ydyw gwneud ystum cyffes,
honni bod yn edifar,
ac addo dy wasanaethu di yn well.
Mae cynefindra wedi esgor ar ddifaterwch
a pheri i ni gymryd dy ras yn ganiataol.
Eto dy natur di yw trugarhau.
Helpa ni i weld ein hunain fel yr ydym,
a rho i ni eto ymdeimlad didwyll o edifeirwch.
Gweddïwn am gael derbyn y maddeuant
yr wyt mor awyddus
i'w estyn i ni,
a thrwy hynny brofi dy nerth adnewyddol,
drwy Iesu Grist ein Harglwydd.

48. DYCHRYNAIS HEDDIW

Moses

Darllen: Salm 90 (priodolir i Moses)

Myfyrdod
Dychrynais heddiw.
Gwelais adlewyrchiad ohonof yn y dŵr,
ac nid oeddwn yn adnabod y gŵr a welais.
Ymddangosai'n hen,
pryderus,
blinedig,
y gwallt yn teneuo ac yn britho,
ei dalcen yn grychiog,
y llygaid yn drwm ac yn llawn gofid,
fel pe bai'n dwyn holl ofidiau'r byd ar ei ysgwyddau,
a meddyliais:
'Druan o'r hen ŵr, pwy ydyw tybed?
Ond y fi ydoedd,
a'r olwg flinedig yn adlewyrchu yr hyn a ddigwyddodd i mi.
Llethwyd fi wrth sylweddoli fy meidroldeb
a natur ddiflanedig ein dyddiau.
Gwyddwn hynny cynt, wrth gwrs,
ond heddiw trawodd fi yn fwy nag erioed.
Sylweddoli fod bywyd yn carlamu yn ei flaen
ac na allwn ei rwystro;
fod ein gobeithion a'n cynlluniau, ein gwaith a'n hymdrech
yn cyfrif dim.
Ond er yr holl gyfnewidiadau yn fy mywyd i
gwn nad yw Duw yn newid,
ei nerth, ei bwrpas, yn parhau. Nid angau sy'n fy mlino,
ond y gwastraff bywyd,
y modd y gwastraffwn y dyddiau a roddir inni.
Yr ydym i gyd yn euog,

yn ddifeddwl,
yn hunanol.
Ni allwn ddianc ein hunain –
dim ond Duw all ein rhyddhau.
Does gennym ddim hawl i'w ddisgwyl –
ond os gofynnwn mewn gwir ostyngeiddrwydd,
os cydnabyddwn ein bai
a thaflu ein hunain ar ei ras,
hwyrach y clyw ef ein gweddi a thrugarhau.
Cofia hynny, fy ffrind,
tra bod amser a bywyd yn gwahodd,
oherwydd er na allwn newid y dyfodol,
gallwn, gyda chymorth Duw, ffurfio'r presennol.
Tro ato, a chei eto brofi llawenydd.

Gweddi

Arglwydd,
y mae'n bywyd yn un ymdrech fawr ddiddiwedd.
Gweithiwn, poenwn, brwydrwn,
canolbwyntiwn ein meddyliau ar betheuach,
ar betheuach diflanedig.
Dysg ni yn gyntaf i roi ein bryd arnat ti,
a darganfod y llawnder sydd ynot ti.
Helpa ni i fyw yng nghyd-destun tragwyddoldeb
i sylweddoli i ni gael ein geni
i lawenydd uwch nag sy ym mhleserau'r llawr.

49. RWYF AM GANU I'R ARGLWYDD

Dafydd

Darllen: Salm 98

Myfyrdod

Rwyf am ganu i'r Arglwydd –
codi fy llais,
dyrchafu fy enaid,
a chanu ei fawl hyd eithafoedd byd!
Iawn, gwn fod hynny'n swnio'n ystrydebol,
ond does dim gwahaniaeth gen i, mae'n wir –
mae ei gariad,
ei ddaioni,
ei drugaredd,
ei ffyddlondeb yn rhy ryfeddol
i mi fedru tewi.
Rwyf am ganu o bennau'r tai,
o ben y mynydd uchaf!
Nid unrhyw hen gân,
ond rhywbeth newydd,
rhywbeth gwahanol –
cân lawen
yn codi o berfeddion fy mod,
yn mynegi, pe bai hynny'n bosibl,
fawredd ein Duw!
Nid yw'n bosibl, wrth gwrs –
does dim geiriau digonol,
dim cerddoriaeth all fynegi'n llawn ei fawredd –
ond rwyf am roi cynnig arni;
rwyf am ganu'n llawen,
a thalu gwrogaeth i'r Arglwydd fy Nuw
â'm holl nerth.
Maddeuwch i mi os na fydd y gân yn swynol –

ond gallaf addo un peth i chi: fe fydd yn ddiffuant,
yn tarddu fel ffynnon o'm henaid,
yn gorlifo o ddiolchgarwch,
oherwydd bendithiodd ni y tu hwnt i bob haeddiant.
Gwnaeth bethau rhyfedd i ni,
rhy niferus i'w rhestru.
Clywodd ein gweddi ac ymostwng mewn trugaredd –
beth mwy allwn ni ei ofyn?
Ond dyma ddigon o hyn,
does dim amser i siarad;
dewch, gyfeillion, ymunwch â mi,
canwch mewn llawenydd a mawl:
canwch i'r Arglwydd gân newydd!

Gweddi

Arglwydd,
diolchwn i ti am y rhodd o gân;
am ei allu i'n symud, ein herio a'n hysbrydoli,
ei allu i fynegi'n llawenydd a'n tristwch,
gobaith ac anobaith.
Dysg ni yn ein haddoliad
i ddefnyddio'r ddawn yn ystyriol,
i ganu o'r galon,
ac offrymu ein hunain iti.
Dysg ni i fyfyrio ar y geiriau
fel y bydd iddynt lefaru wrthym
am dy fawrion weithredoedd di.
Arglwydd,
agor ein gwefusau
a'n genau a fynega dy foliant.

50. DYNA DERFYN ARNO

Salmydd

Darllen: Salm 133

Myfyrdod

Dyna derfyn arno o'r diwedd,
yr hen gynnen ofer,
a rannodd ein teulu cyhyd.
Roeddem yn unedig eto,
yn deulu fel y bwriadodd Duw i ni fod,
a nawr, doedd dim terfyn ar ein llawenydd.
Wyddoch chi beth?
Doedd rhai ohonom ddim wedi siarad
gyda'n gilydd ers blynyddoedd!
Tylwyth yn pasio ei gilydd fel dieithriaid,
heb giledrychiad, heb sôn am siarad.
Mae'n rhyfeddol!
Aeth pethau o ddrwg i waeth,
un gair croes yn arwain at air arall,
cyfnewid sarhad am sarhad,
nes yr aeth y peth bach yn beth mawr.
Duw a ŵyr beth ysbardunodd y cyfan –
collwyd golwg ar hynny amser maith yn ôl –
ond aeth anghytundeb yn rhyfel,
ac anghydfod pitw yn fater o fywyd a marwolaeth.
Yr oedd yn druenus,
anghredadwy,
ond ni allem weld hynny ar y pryd.
Bob dydd fe ledodd y gwenwyn
nes bod pob rhan o'n bywyd wedi ei heintio.
Dyna i chi bris i'w dalu!
Pan feddyliaf beth y gellid fod wedi ei rannu –
llawenydd, gobeithion,

ofnau a phrofedigaethau.
Mae fy nghalon yn torri wrth ystyried trychineb y cyfan.
Ond does dim pwynt pendroni
a difaru'r hyn a allai fod wedi bod.
Mae'r cwbl drosodd nawr,
yn hen hanes,
yn rhan o'r gorffennol,
ac mae'n deimlad braf.
O! mor dda ydyw,
mor dda ac mor ddymunol
yw i frodyr fyw'n gytûn.
Dyna biti na fyddem wedi gweld hynny'n gynt!

Gweddi

Arglwydd,
mae'n hawdd dechrau ffrae,
anos yw rhoi terfyn arni.
Mae'n hawdd gweld bai ar eraill,
anos yw gweld yr un bai ynom ein hunain.
Mae'n hawdd chwalu perthynas,
anodd yw adfer y berthynas ar ôl y chwalu.
Maddau i ni y gwendidau
sy'n creu rhaniadau
ac sy'n ein gwahanu oddi wrth eraill.
Helpa ni, os yw'n dibynnu arnom ni,
i fyw mewn harmoni ag eraill,
a phan fo tarfu ar yr harmoni
gwna ni yn wneuthurwyr heddwch,
yn gwella'r clwyfau ac yn adfer yr ymddiriedaeth,
yn enw Iesu Grist,
a ddaeth i gymodi pawb ag ef ei hun.

51. DDAW HI DDIM, ARGLWYDD

Dafydd

Darllen: Salm 139:1-18

Myfyrdod
Ddaw hi ddim, Arglwydd,
mae'n ormod i mi,
mwy nag y gallaf ei ddioddef.
Rwyf wedi ymdrechu, fe wyddost hynny,
ceisiais fy ngorau glas i gwmpasu rhyfeddod dy Berson,
ond ni allaf;
mae dy fawredd y tu hwnt i'r meddwl dynol.
Rwyf wedi teithio'n bell,
does dim amheuaeth am hynny.
Y mae profiadau newydd wedi ychwanegu at fy rhyfeddod,
yn dyfnhau fy ffydd,
yn ehangu fy ngorwelion;
a gwn erbyn hyn mai dim ond rhagflas oedd y rheiny;
mae mwy o lawer eto i'w ddysgu a'i brofi,
rhyw bethau sydd hyd yn hyn yn guddiedig ond a amlygir.
Y mae'n arswydus;
yr wyt ti mor annisgwyl,
ar waith yn y tywyllwch yn ogystal â'r goleuni,
yn y drwg yn ogystal â'r da –
does unman y tu hwnt i'th bwrpas
na'r un person y tu hwnt i'th ras.
Y mae dy gariad yn gryfach, yn lletach,
yn uwch ac yn ddyfnach
nag a freuddwydiais i!
Yr wyt ti yno bob amser,
un cam ar y blaen,
yn aros i estyn dy law
i'm tywys ar fy nhaith.

Ond digon yw digon, Arglwydd –
dim rhagor o gymhlethdodau,
dim rhagor o ymgodymu â'r amhosibl.
Nid oes gennyf yr atebion i gyd
ac ni fydd gennyf,
ond yr wyt ti gyda mi,
wrth fy nghefn i'm gwarchod,
o'm blaen i'm harwain,
uwch fy mhen i'm bendithio,
oddi mewn i'm porthi –
bydd dy gariad yno bob amser,
bob awr,
ym mhob man,
ym mhob peth.
Ac os yw hynny gennyf,
beth arall sydd ei angen arnaf?

Gweddi
O! Dduw mawr a hollalluog,
diolchwn fod gennyt ti'r nerth
i'n synnu yn gyson,
i agor gorwelion newydd
a rhoi i ni brofiadau newydd i'w mwynhau.
Ni allwn blymio i ddyfnderoedd dy ddirgelwch di.
Y mae pob dydd o'n pererindod yn ddechreuad newydd.
Dysg i ni ddal gafael ar y gwirionedd hwnnw,
fel na chollwn yr ymdeimlad o arswyd ger dy fron.
Boed i'n calonnau gynhesu
wrth i ni ddysgu mwy a mwy am dy gariad diderfyn.

52. 'DECHRAU DOETHINEB YW OFN YR ARGLWYDD'

Solomon

Darllen: Diarhebion 3:1-8

Myfyrdod
'Dechrau doethineb yw ofn yr Arglwydd' –
dyna ddywedodd fy mam wrthyf pan oeddwn yn fachgen,
a rwyf wedi cofio'r geiriau ers hynny,
rheol euraid fy mywyd.
Tipyn o ystrydeb, efallai,
a pherygl i'r geiriau ddod yn rhy rwydd,
ond gwell hynny na'u hanghofio'n gyfan gwbl.
Hawdd iawn yw anghofio, credwch fi,
y wers a ddysgwyd heddiw yn angof yfory,
y gwirionedd y credwn i ni ei ddirnad
yn dychwelyd i'n drysu.
Peidiwch â chredu eich bod chi'n wahanol.
Gall pawb ohonom golli golwg ar y pethau pwysig.
Bûm yn dyst i hynny droeon,
argyhoeddiadau ar chwâl,
egwyddorion wedi'u cyfaddawdu,
cydwybod wedi'i anwybyddu,
ac yn raddol erydir y gwirionedd
gan fyd gelyniaethus ac anystyriol.
Ond nid rhaid iddi fod felly,
dim ond i chi gofio'r hyn sy'n cyfrif:
gair yr Arglwydd,
ei orchmynion,
a thystiolaeth ei weision.
Gwnewch amser i'r cyfryw bethau,
nid yn unig i'w darllen ond i'w gwneud yn rhan ohonoch,
eu hargraffu ar eich calon,

eu hysgythru yn eich enaid,
fel y byddant yn oleuni i'ch llwybr
ac yn ddigon ar gyfer corff, meddwl ac ysbryd.
Dyna ddysgodd fy mam i mi, flynyddoedd yn ôl,
a dyna y ceisiais innau ei ddysgu i eraill yn fy nhro –
rhannu'r doethineb a rannodd hi gyda mi.
Nid ei doethineb hi, gyda llaw,
nid fy noethineb innau,
ond doethineb yn tarddu o ofn yr Arglwydd,
yn cael ei gynnal a'i feithrin ganddo.
Os bydd i ti ddarganfod y doethineb hwnnw,
fe fydd i ti ddarganfod hefyd
drysorau uwch gwybod y byd.

Gweddi

O! Dduw grasol,
er i ti lefaru wrthym
a chynnig dy arweiniad inni,
crwydrwn yn rhy fynych.
Er ein hawydd i'th wasanaethu,
bydd y rhai o'n cwmpas yn dylanwadu arnom,
yn tanseilio'n ffydd
a'n harwain ar ddisberod.
Maddau i ni wendid ein hymroddiad
a dysg i ni neilltuo amser i ti yn feunyddiol.
Nesâ atom
a helpa ni i nesáu atat ti.
Er mwyn Iesu Grist ein Harglwydd.

53. YSTYRIWCH CYN SIARAD

Solomon

*Darllen: Diarhebion 12:6, 13-14a, 17-19; 13:2-3;
15:1-2, 4; 26:17-28*

Myfyrdod
Ystyriwch cyn siarad.
Cyngor syml a synhwyrol.
Braidd bod angen ei ailadrodd.
Ond wir i chi,
bydd llawer ohonom yn siarad yn gyntaf
ac yn ystyried wedyn.
A oes ots?
Wel, ystyriwch y canlyniadau –
y fam a glwyfwyd gan air sbeitlyd,
y plentyn a niweidiwyd gan gerydd creulon,
y briodas a chwalwyd gan gleber difeddwl,
y teulu a rannwyd gan sylw esgeulus,
y cyfan yn arwydd o rym geiriau.
Ac y mae miloedd ohonynt o'ch cwmpas wrth i mi siarad –
gair fan hyn a fan draw,
yn cael eu poeri o wefusau gwenwynig,
eu dirdroi gan dafodau creulon,
a'u taflu'n wyllt i'r gwynt
heb ystyried y canlyniadau –
yn hau anghytgord,
yn tanio casineb,
yn porthi chwerwder.
Ond nid rhaid iddi fod felly,
oherwydd rhodd yw geiriau gan Dduw,
yn abl i fynegi prydferthwch a chyflawni daioni.
Nid yw'n anodd;
gall ychydig o ystyriaeth esgor ar ganlyniadau gwahanol:

gair o ddiolch,
canmoliaeth,
cysur,
anogaeth,
wedi eu llefaru nid i glwyfo ond i gyfannu,
nid i felltithio ond i fendithio;
ac yn lle tristwch daw llawenydd,
yn lle casineb, cariad,
yn lle rhyfel, heddwch.
Dyna fi wedi dweud digon,
mwy o eiriau eto!
Ond gwnewch un addewid i mi,
cyn i chi lefaru eto:
oedwch ac ystyriwch.

Gweddi

Arglwydd,
diolchwn i ti am y ddawn i lefaru,
am iaith i gyfathrebu;
i fynegi ein meddyliau a'n teimladau;
i rannu gwybodaeth;
i herio ac ysbrydoli;
i gynnig syniadau ac i gysuro.
Maddau i ni am gamddefnyddio'r ddawn
ac am achosi'r fath ddiflastod.
Dysg i ni ystyried cyn siarad.
Helpa ni i ddefnyddio geiriau'n ddoeth,
yn enw Iesu Grist ein Harglwydd.

54. 'DYDY HYN DDIM YN DEG,' DYWEDODD

Solomon

Darllen: Diarhebion 6:6-9; 13:4; 24:30-34; 26:13-16

Myfyrdod

'Dydy hyn ddim yn deg,' dywedodd,
'ddim yn iawn;
sut allai Duw ganiatáu hyn?'
Ac yr oedd o ddifrif.
Credodd fod bywyd wedi gwneud cam ag ef;
fod ffawd yn ei erbyn.
Doedd dim gwahaniaeth ei fod ef wedi gorffwys
tra'n bod ni yn gweithio,
ei fod ef yn mwynhau
tra'n bod ni yn chwysu –
anghofiodd am hynny –
doedd dim bai arno ef,
dim yw dim!
Felly, safodd yno'n cwyno,
yn edliw ei ran,
yn codi dwrn ar y byd.
Mae'n anodd credu, mi wn,
oherwydd yr oedd yn amlwg i bawb arall
mai canlyniad ei segurdod oedd y cyfan –
ond ni allai – neu ni fynnai – weld hynny.
Does dim llawer o rai tebyg iddo, diolch am hynny,
dim llawer mor ddiog a ffôl.
Ond cymerwch air o gyngor –
peidiwch â gorffwys ar eich rhwyfau,
oherwydd mae rhyw gymaint ohono ym mhob un ohonom,
a hwyrach mwy nag a ddychmygem.
Mae pawb ohonom wedi gohirio'r gwaith na fynnem ei wynebu.
'Yfory wnaiff y tro',

'Nid heddiw',
'Fe gaiff aros'–
glywsoch chi hynny o'r blaen, tybed?
Ac unwaith y dechreuwn does dim diwedd arni . . .
ymlaen. . .
ac ymlaen. . .
ac ymlaen –
esgus arall,
rheswm arall i ohirio,
cyfle arall a wastraffwyd.
Dim byd ond twyllo eich hunan,
ac y mae'r gwaith yn dal i'ch disgwyl,
ac yn pwyso ar eich meddwl.
Cymerwch air o gyngor gennyf:
bwriwch iddi,
torchwch eich llewys.
Cewch orffwys yfory,
heddiw yw'r dydd i weithio.

Gweddi

Arglwydd,
rhoddaist i ni ddoniau a chyfleon amrywiol;
maddau i ni am i ni eu hanwybyddu.
Gwastraffwn gymaint ar ein hamser
oherwydd haws gennym ohirio tan yfory
na gweithredu heddiw.
Dysg i ni wneud y gorau o bob munud,
i ddefnyddio'n doniau'n llawn,
ac ymroi i weithio
er mwyn ein hunain ac er dy fwyn di.

55. RHOSYN HEB DDRAENEN

Solomon

Darllen: *Caniad Solomon 4:1-7*

Myfyrdod

Rhosyn heb ddraenen, felly y gwelais hi,
ei phrydferthwch y tu hwnt i eiriau,
hyfrytach na gwlith y bore.
Gwefreiddiwyd fi gan sŵn ei llais,
crynais o lawenydd pan welais ei hwyneb,
llamodd fy nghalon wrth i mi ei chofleidio.
Yr oedd yn bopeth y gallai dyn ei ddymuno –
deniadol,
cnawdol,
angerddol,
ei llygaid mor las â thopas,
gwefusau mor felys â'r mêl
a'i chroen mor feddal â mân blu.
Nid rhyfedd i mi ei charu,
yn fwy tanbaid nag y meiddiwn gredu y gallwn.
Newidiodd y cyfan, wrth gwrs;
roedd yn rhaid i bethau newid.
Roedd ganddi hithau fel finnau ei brychau;
fe gawsom ambell storm,
ambell air chwyrn,
ambell ffrae annymunol –
profwyd ein cariad i'r eithaf.
Eto, y mae'n llawn mor werthfawr i mi
â'r diwrnod y gwelais hi gyntaf.
Mae pethau wedi newid, mae'n wir;
y fflam yn dal i losgi ond nid mor eirias,
ond yr ydym yn nes nag y buom erioed,
wedi ein hasio gan bopeth a rannwyd rhyngom –

undeb meddwl ac ysbryd yn ogystal â chorff.
Cerais hi bryd hynny yn fwy nag y meiddiwn gredu y gallwn.
Caraf hi yn awr, yn fwy nag erioed.
Yn ôl fy addewid parhaf i'w charu,
hyd fy medd,
hyd oni wahaner ni gan angau.

Gweddi

O! Dduw,
diolchwn i ti am y rhodd o gariad,
ac am y llawenydd a ddaw yn ei sgil.
Diolch am y cariad y gallwn ei roi a'i dderbyn
ac am y boddhad a ddaw o'r undeb
rhwng corff, meddwl ac ysbryd.
Bydd drugarog wrth y rhai
y mae eu cariad wedi oeri.
Adfer gariad i'w bywyd,
fel y bydd iddo dyfu a llewyrchu bob cam o'r daith.
Yn enw Iesu Grist.

56. MEIDDIAIS FREUDDWYDIO UNWAITH

Yr Athro

Darllen: Pregethwr 1:2-11

Myfyrdod

Meiddiais freuddwydio unwaith – allwch chi gredu hynny?
Mae'n swnio'n anghredadwy yn awr,
ond bu amser yn fy mywyd
pan oeddwn yn ŵr a fynnai ramantu,
yn llawn cynlluniau i newid y byd!
Llanc ifanc blin oeddwn yn nhyb rhai,
ond er bod rhai yn teimlo i mi fynd yn rhy bell
cymeradwyodd y mwyafrif fy nelfrydau,
yn ddracht o ddŵr oer i'w groesawu yn yr anialwch.
O! fel y newidiodd pethau –
ni fyddent yn fy adnabod heddiw!
Nid bod fy ymddangosiad yn wahanol,
ond oddi mewn, nid wyf ond cysgod o'r hyn oeddwn –
wedi fy nghuro,
fy nghleisio,
fy nhrechu.
Rwy'n dal i ddyheu am yr un brwdfrydedd –
i deimlo fy nghalon yn cyflymu,
fy nychymyg yn carlamu –
ond ni allaf,
a rhywsut nid wyf yn teimlo y daw'r teimladau hynny mwyach.
Gwelais bobl yn dod ac yn mynd,
gobeithion yn codi,
gobeithion yn suddo;
llawenydd heddiw'n troi'n dristwch yfory,
pleser un eiliad yn boen yr eiliad nesaf;
a bellach fe'm llethwyd,
dim pwynt, dim ystyr i ddim.

Y *mae* mwy, wrth gwrs, mi wn hynny,
er na allaf ei weld bob amser.
Gwn fod Duw ar waith yn yr hen fyd yma o hyd,
ac un diwrnod, yn sicr, fe wireddir yr hen freuddwydion –
dechrau newydd,
teyrnas newydd,
bywyd newydd.

Gweddi

Arglwydd,
down ger dy fron yn wylaidd,
down â'n rhwystredigaethau,
down â'n siomedigaethau.
Wrth i'r blynyddoedd fynd heibio,
er bod rhai o'n gobeithion wedi eu gwireddu,
gwyddom na wireddir y cyfan.
Wnei di faddau i ni ein hamheuaeth?
Maddau i ni am fodloni ar yr hyn sydd
yn hytrach na newynu am yr hyn a all fod eto.
Er gwaetha gwirioneddau moel ein byd,
dysg i ni ymddiried yn dy allu i newid y byd.

57. CREDANT FY MOD YN DDOETH

Yr Athro

Darllen: Pregethwr 11:8-12:7

Myfyrdod
Credant fy mod yn ddoeth –
allwch chi gredu hynny?
Defnyddiant fi fel enghraifft
o weledigaeth, dealltwriaeth a dirnadaeth.
Wel, dyna i chi ffyliaid!
O! rwyf wedi dysgu llawer erbyn hyn, rwy'n cydnabod;
mae gwersi ysgol brofiad yn fyw yn fy nghof,
ac os mai doethineb yw'r enw a roddir ar hynny – popeth yn iawn.
Ond fe gymerodd amser maith –
rhy hir o'r hanner,
felly ni chlywch mohonof yn canmol fy hun,
gallaf eich sicrhau o hynny!
Hyd y gwelaf i, bûm yn ffŵl,
gwastraffais flynyddoedd ar ymchwil ofer,
yn pendroni dros y peth yma a'r peth arall:
anghyfiawnder bywyd,
dirgelwch marwolaeth,
yr ymchwil am lawenydd,
dioddefaint,
deniadau cyfoeth,
tynged y tlawd –
popeth,
awr ar ôl awr,
blwyddyn ar ôl blwyddyn,
gwaith oes yn codi i'r entrychion ac yn suddo i'r gwaelodion.
A heddiw, wele fi –
wedi fy nadrithio,
wedi digalonni,

wedi siomi –
mae'r byd, er ei brydferthwch, yn ddiystyr.
Ai dyna'r gair olaf tybed?
Na, choelia i fawr.
Sylweddolaf erbyn hyn i mi golli'r cydbwysedd:
gormod o'r hunan,
rhy ychydig o Dduw,
gormod o'm syniadau fy hun i fedru ymateb i'w arweiniad.
Dylwn fod wedi oedi flynyddoedd yn ôl,
neilltuo amser pan oeddwn yn ifanc,
a bywyd o'm blaen,
oedi a gwrando ar ei lais,
ond credais y gallwn ddygymod â bywyd fy hunan
a sicrhau'r atebion i gyd.
Nid ar yr ymchwil roedd y bai –
mae lle i hynny ac amser i bopeth –
ond yn fy ymchwil am wybodaeth a dealltwriaeth;
collais gyfeiriad fy mywyd,
a chaniatáu i fywyd lithro heibio.
Gallwn bendroni o hyd, yn hawdd,
y cyfleon a gollwyd,
y dyddiau a wastraffwyd,
ond, na, dim mwyach.
Er nad ydwyf yr hyn y bûm,
gwn bellach beth sy'n cyfrif,
ac rwyf am wneud y gorau o'r hyn sy'n weddill i mi,
pob dydd,
pob eiliad,
gan ddathlu pob un fel rhodd gan fy Nghrëwr.
Ac os byddi di'n ddoeth fy ffrind,
fe wnei dithau yr un modd,
nid ei ohirio tan yfory ond dechrau heddiw,
yma a nawr.
Gwna hynny, ac fe dâl i ti ar ei ganfed.

Gweddi

O! Dduw Tragwyddol,
treuliwn gymaint o'n hoes yn ceisio dedwyddwch.
Neidiwn o'r naill beth i'r llall,
gan gredu y gallwn sicrhau'r dedwyddwch hwnnw ein hunain.
Y mae adegau pa fo bywyd yn ymddangos yn wag.
Helpa ni i sylweddoli mai ti yn unig all ein tywys
i ddarganfod gorffwysfa i'n heneidiau.
Ti yw ein gorffwysfa.
Helpa ni i fyw bob dydd yn dy gwmni,
gan lawenhau yn yr hyn a roddaist i ni,
ac ymgryfhau o wybod am yr hyn sydd gennyt ti mewn stôr ar ein cyfer.
Drwy Iesu Grist ein Harglwydd.

58. A WYDDEM Y BYDDAI DUW YN EIN HACHUB?

Sadrach, Mesach ac Abednego

Darllen: Daniel 3:1, 3-6, 8-9, 12-14, 16-18

Myfyrdod

A wyddem y byddai Duw yn ein hachub,
ac yn ein harwain yn ddiogel i'r ochr draw?
Wel, 'na' yw'r ateb gonest,
er gwaetha'r hyn a ddywed rhai pobl wrthych.
Pe byddem ni'n gwybod hynny,
fe fyddem wedi teimlo'n llawer iawn gwell,
ac yn barod i wynebu beth bynnag
y byddai'r brenin yn ei daflu atom.
Ond doedd dim sicrwydd –
bu'n rhaid aros, ymddiried, a gobeithio.
Wrth gwrs fe *allai* ein gwaredu,
ond a *fyddai* yn ein gwaredu?
Pwy allai ddweud?
Wedi'r cyfan, pam trafferthu gyda ni?
Doedden ni'n neb arbennig,
dim ond tri llanc o Jwda,
ac er bod Nebuchadnesar yn talu cryn dipyn o sylw i ni,
doedd dim sicrwydd y byddai Duw yn trafferthu.
Nid ni fyddai'r cyntaf i farw dros y ffydd,
nid ni'n sicr fyddai'r olaf.
Ond nid hynny a'n blinai ar y pryd –
yr oedd ein ffydd ar brawf,
ein rhyddid, ein diffuantrwydd, ein hunaniaeth fel cenedl
yn y fantol,
a daeth cyfle i ni droi'r fantol honno.
Byddai wedi bod yn hawdd i ni gyfaddawdu,
dim ond un ymgrymiad syml,

ac fe fyddai'r cyfan ar ben.
Ond beth wedyn,
beth am y tro nesaf a'r tro wedyn?
Un cyfaddawd yn arwain at gyfaddawd arall,
a chyn hir ni fyddai dim ar ôl.
Safasom yn gadarn,
yn y gobaith y gwelai reswm,
y parchai ein cydwybod,
yr anrhydeddai ein hegwyddorion,
ond ni ddangosodd lygedyn o dosturi wrth ein dedfrydu i'r ffwrn.
Ni allaf ddisgrifio gwres y ffwrnais;
trawodd ni wrth i ni agosáu,
ac, yn y gwres, oerodd ein gwaed,
rhewodd ein cyrff,
diflannodd ein gobaith.
Yr oedd digon o amser, wrth gwrs,
i Dduw ymyrryd a'n hachub.
Gwyddom y *gallai*, ond a *wnaethai*?
Yna agorwyd y drws a'n taflu i mewn.
Cwympodd y gwarchodwyr gan gymaint y gwres;
yr oeddem yn credu erbyn hyn fod y cyfan ar ben –
tri merthyr arall wedi eu hanghofio.
Ond yr oedd mwy na thri;
yr oedd pedwar ohonom,
yn cerdded heb un niwed yn fflamau'r tân.
Nid Nebuchadnesar yn unig a syfrdanwyd
gan yr olygfa ryfeddol hon.
Ond gwawriodd y gwirionedd arnom,
wrth i ni gofio ein geiriau ein hunain;
'Y mae'r Duw a addolwn ni yn alluog i'n hachub,
ac fe'n hachub o ganol y ffwrnais.'
Dyna oedd ein gobaith,
a dyna'r gwirionedd.
Gwyddem y *gallai,*
gwyddom nawr *iddo wneud.*

Gweddi

Goruchaf Dduw,
diolchwn i ti am ddewrion y ffydd,
y rhai a wynebodd erledigaeth a pheryglon,
y rhai y bu eu ffyddlondeb i ti
yn ysbrydoliaeth i eraill.
Uwchlaw pob dim,
diolchwn am y sicrwydd dy fod ti
yn abl i'n gwared beth bynnag a ddaw.
Diolchwn na all dim ein gwahanu
oddi wrth dy gariad di.
Helpa ni, felly, i offrymu i ti ein haddoliad,
ac i'th anrhydeddu drwy dy wasanaethu'n ffyddlon,
er gogoniant dy enw.

59. GWYDDWN BETH OEDD YSTYR HYN

Daniel

Darllen: Daniel 5:1-9, 13a, 16b-17, 23-31

Myfyrdod

Gwyddwn beth oedd ystyr hyn,
yr eiliad y gwelais yr ysgrifen ar y mur.
Ond a feiddiwn i ddehongli'r geiriau?
Yr oedd yn benderfyniad anodd,
oherwydd pwy oeddwn i,
alltud o wlad Jwda,
i sefyll gerbron Brenin Babilon a chyhoeddi barn Duw –
diwedd ei deyrnasiad,
dymchweliad ei frenhiniaeth?
Ni fyddwn, yn sicr, yn ddyn poblogaidd;
buaswn yn ffodus i ddianc yn fyw.
Eto, pan ddaeth y cwestiwn, doedd dim petruso,
dim amheuaeth yn fy meddwl,
roedd y cwbl yn glir i mi.
Roedd y dyn hwn wedi gwatwar digon ar Dduw,
yn ei lordian hi o gwmpas,
fel pe bai'n frenin y byd.
Yr oedd gwaeth na hynny hyd yn oed i ddilyn –
nid balchder y tro hwn ond halogiad –
dygwyd llestri'r deml,
anrheithiwyd y cyfan mewn meddwdod.
Ystyriai hyn yn jôc fawr,
yn brawf na allai dim na neb
gymharu â Belsassar Fawr.
Aeth yn rhy bell y tro hwn;
profwyd amynedd Duw i'r eithaf.
A dyna a ddywedais wrtho.
Dim rhagor o hel dail,

dim rhagor o gelu'r gwirionedd,
ond y ffeithiau moel –
daeth diwedd ar y loddest,
daeth yn ddydd o brysur bwyso.
Roedd yn rhaid dweud,
a dweud a wneuthum gan ddal fy ngwynt,
yn disgwyl holl rym ei ddicter.
Ond, er clod iddo, ni chafwyd dim o'r fath beth.
Derbyniodd y cyfan,
fel pe bai'n gwybod beth oedd i ddod.
Roedd yn barod i ymgrymu o'r diwedd
i rywbeth mwy nag ef ei hun.
Nid dyma'r neges y dymunai ei chlywed,
ond fe'i derbyniodd am yr hyn ydoedd,
y gwir plaen a syml,
gwirionedd a enynnodd edmygedd
hyd yn oed ganddo ef.

Gweddi

Arglwydd,
bydd y gwirionedd weithiau yn ein dychryn.
Y mae'n treiddio i fannau cudd ein bywyd,
yn ein herio ac yn ein hysgwyd.
Yr ydym yn gyndyn i dderbyn y gwirionedd amdanom ein hunain.
Maddau i ni,
a helpa ni bob amser i wynebu'r gwirionedd hwnnw
ac i lefaru'r gwirionedd hwnnw,
yn enw Iesu Grist,
y ffordd, y gwirionedd a'r bywyd.

60. Y BWRIAD OEDD FY MAGLU

Daniel

Darllen: Daniel 6:6-11

Myfyrdod

Y bwriad oedd fy maglu;
gwyddwn hynny o'r cychwyn,
a chredwch fi, gwyddwn beth fyddai'r canlyniadau.
Bu ar y gweill ers amser –
cenfigen yn esgor ar ddicter,
dicter yn esgor ar gasineb –
felly, pan dorrodd y newydd,
yr oedd yr ysgrifen ar y mur.
Dyma hi o'r diwedd,
dyma roi terfyn ar fy ffydd unwaith ac am byth.
A oeddwn yn ofni?
Wrth gwrs fy mod yn ofni –
yn arswydo a dweud y gwir.
Ni allwn oddef meddwl
am y profiad o gael fy nghorff
wedi ei rwygo'n ddarnau mân.
Pam parhau felly?
Oni allwn ddefnyddio ychydig bach mwy o synnwyr cyffredin?
Oni allwn barhau yn ddistaw bach?
Dyna yn wir a awgrymodd y brenin ei hunan.
Pe bawn i ond wedi tynnu'r llenni,
byddai wedi osgoi llawer o drafferth.
Ond hyd yn oed pe bawn i wedi bodloni fy ngelynion,
a chyfaddawdu fy argyhoeddiadau,
a fyddai pethau'n wahanol?
Ni chredaf hynny am eiliad.
Yr oedd mwy yn y fantol na'm gyrfa i.
Yr oedd fy mhobl yn y ffau,

ein rhyddid, ein dyfodol, ein ffydd –
a phe byddwn wedi cyfaddawdu hynny,
beth fyddai'r dyfodol?
Byddai wedi golygu erledigaeth i ni i gyd.
Felly, euthum i'm hystafell,
a phenlinio mewn gweddi,
gan sicrhau fod pawb yn gwybod.
Dyma weddi anoddaf fy mywyd;
roedd un llygad ar Dduw
a'r llall ar y llewod.
Er hynny, pan ddaeth yr amser
i'm taflu i'r llewod,
dyna i chi beth oedd syndod.
Yr oeddent fel cathod bach,
yn fwy awyddus i chwarae na bwyta!
Cydnabu'r Arglwydd fy ffydd
a chaeodd safn y llewod!
Dewr?
Rhyw ychydig efallai,
ond, rhaid i mi gyfaddef, rwy'n ofni'r pwysau anuniongyrchol
ac anweledig
yn fwy na'r llewod,
y cyfrwystra cyfoes hwnnw sy'n erydu'r ffydd.
Yn yr ystyr hwnnw yr ydym bawb ohonom yn wynebu'r ffau.
Duw a'n gwaredo yn awr y prawf.

Darllen Daniel 6:19-23

Gweddi

Arglwydd,
diolchwn i ti am y rhyddid sydd gennym i'th addoli,
ac i dystio yn agored i ti.
Diolch am gael darllen dy air
a chyhoeddi dy enw heb ofn.
Gwared ni, er hynny, rhag credu bod ein ffydd yn ddiogel rhag
ymosodiadau.
Rydym yn byw mewn byd lle mae gwerthoedd Cristnogol

155

yn cael eu tanseilio'n gyson,
lle ystyrir trachwant a hunanoldeb yn rhinweddau,
cyfoeth a llwyddiant yn dduwiau.
Mae'r pwysau arnom i gydymffurfio,
i ildio ychydig ar y tro.
Cadw ni'n effro i'r peryglon a wynebwn,
a rho nerth i ni wrthsefyll
drwy ddal ein gafael ynot ti.

GAIR YR ARGLWYDD

61. CREDAIS FOD Y LLINELLAU WEDI CROESI

Amos

Darllen: Amos 5:18-24

Myfyrdod

Credais fod y llinellau wedi croesi,
oherwydd roedd y neges yn warthus,
yn rhy syfrdanol i'w hystyried heb sôn am ei chyhoeddi.
Eu haberthau yn ddiystyr?
Eu haddoliad yn wag?
Eu caneuon yn sŵn?
Eu hoffrymau yn ddiwerth?
Roedd y cyfan yn ymddangos yn gabledd i mi,
ac yn gwbl groes i'r hyn a ddysgais yn blentyn,
ac am eiliad daeth anhrefn ar fy myd.
Ond dyna oedd neges Duw,
yn glir ac yn groyw.
Ymdrechais i'w deall,
gan fyfyrio ar ystyr y cyfan,
ac ystyriais a feiddiwn gyhoeddi'r neges hon?
Pobl Dduw oeddent wedi'r cyfan,
cenedl dduwiol ac ymroddedig –
ar yr wyneb beth bynnag –
yn talu sylw manwl i'r Gyfraith;
pobl gywir,
barchus,
ac yn gonglfeini cymdeithas.
Felly, beth oedd y broblem?
Sut gallai Duw eu condemnio?
Ac yna oedais,
ac edrychais nid ar eu ffydd ond ar eu bywyd,
nid ar eu haddoliad ond ar eu tystiolaeth,

ac yna gwelais drosof fi fy hun.
Sioe oedd y cyfan –
eu duwioldeb,
eu sêl,
eu defodau,
eu gweddïau.
Crefyddwyr arwynebol oeddent!
Moliannant Dduw,
ond gwasanaethant eu hunain.
Pregethant gyfiawnder,
ac ymarfer twyll.
Cyhoedda eu geiriau un peth,
a'u gweithredoedd beth arall.
Y drychineb oedd na allent weld hynny;
dallwyd eu llygaid gan betheuach crefydd,
ffyddlondeb allanol,
y cysgod yn lle'r sylwedd.
Mae lle i'r pethau hynny, rwy'n cyfaddef,
ond dim ond fel cyfrwng
ac nid fel diben.
Os anghofiwch hynny,
fe gredwch fod gennych bopeth,
ond y gwir yw:
does gennych ddim.

Gweddi

Arglwydd,
mae'n hawdd mynd i'r oedfa,
ond mae'n anos ymestyn allan at y byd.
Mae'n hawdd gweddïo,
anodd yw gweithredu.
Mae'n hawdd cyfrannu arian,
anodd yw rhoi ein bywyd.
Mae'n hawdd canu am dy ogoniant,
anodd yw byw er dy ogoniant.
Maddau am gymryd y llwybr esmwyth.
Ymafla ynom, O! Dad,
fel y gallwn wireddu ein geiriau
yn nidwylledd ein gwasanaeth.

62. NI SYLWEDDOLAIS ERIOED

Hosea

Darllen: Hosea 11:1-9

Myfyrdod

Ni sylweddolais erioed cymaint oedd ei ofal,
pa mor ddwfn oedd ei gariad.
Ymddangosai'n Dduw pell,
ar wahân i bawb,
un i agosáu ato yn ofalus.
Nid oeddwn wedi amau ei ddaioni erioed –
bu'n rasol i ni o'r dechreuad.
Creodd ni'n genedl
a'n gwared yn nydd y ddrycin,
arweiniodd ni'n amyneddgar
er gwaetha'n cyndynrwydd i ddilyn –
ond dychmygais ef erioed
fel rhywun pell,
yn Dduw na allem weld ei wyneb.
A dweud y gwir, roeddwn braidd yn ofnus ohono.
Pan addolem, fe wnaem hynny gyda pharchedig ofn,
pan blygem i weddïo, fe wnaem hynny'n grynedig,
gan wybod y gallai farnu yn ogystal â bendithio,
cosbi yn ogystal ag achub –
ac, yn ein cyd-destun ni,
yr oedd digon o achos i gosbi
a dim achos o gwbl i drugarhau.
Aethom i ganlyn duwiau gau
yn hytrach nag Arglwydd nef a daear.
Bu i ni ormesu'r tlawd ac ymelwa ar y gwan,
aeth ein trachwant yn rhemp a'n drygioni'n ddi-ben-draw.
Byddem yn dweud un peth, yn gwneud peth arall,
llefaru am gyfiawnder ac ymarfer twyll,

felly pa reswm oedd gennym i ddisgwyl dim byd llai na barn,
ein haeddiant am ein pechodau?
Ond ni allai wneud hynny!
Pan ddaeth yr awr i gosbi,
yr oedd ei drugaredd yn rhy fawr
a'i gariad yn gwrthod gollwng gafael.
Nid ein haeddiant ein hunain a'n hachubodd.
Sylweddolais, er cymaint ei fawredd
a'i gyfiawnder,
ei fod yn ein caru yn fwy nag y gallem ei ddychmygu;
cariad fydd yn parhau i roi,
i losgi
ac ymestyn allan
beth bynnag fydd y gost!

Gweddi

Arglwydd,
prin iawn yw ein dealltwriaeth o gariad.
Y mae'n cariad ni'n ddiffygiol,
yn hunanol ac yn arwynebol.
Ni allwn ddirnad maint dy gariad di tuag atom;
cariad heb ddiwedd na dechrau,
ei fesur yn ddi-ben-draw.
Maddau i ni am golli golwg ar hyn.
Maddau i ni am dy bortreadu fel Duw dialgar,
Duw cyfiawnder a barn ddidrugaredd.
Dysg i ni agor ein calonnau i ti,
fel y gallwn ninnau garu eraill fel yr wyt ti yn ein caru ni.
Yn enw Iesu Grist.

63. ROEDD YN SAFF O DDIGWYDD

Jona

Darllen: Jona 1:1-3; 3:1-3a, 5; 3:10-4:4, 11

Myfyrdod

Roedd yn saff o ddigwydd.
Byddai gwŷr Ninefe yn sicr o edifarhau
pe bai Duw yn rhoi hanner cyfle iddynt.
A dyna'n union a wnaethant –
gwisgo sachliain a lludw,
ac ymostwng i'r baw,
ac ymbil am drugaredd.
Oni allai weld drwyddynt?
Mae'n amlwg na allai,
doedd ond yn rhy barod i anghofio
a'u cofleidio â dwylo agored.
Onid yw hynny eto yn nodweddiadol ohono,
bob amser yn barod i gau ei lygaid
yr eiliad y bydd rhywun yn edifarhau?
Mae'n droëdig!
Allwch chi fy meio am redeg i ffwrdd pan alwodd arnaf?
Gwyddwn yn iawn beth oedd ganddo mewn golwg –
mae'n Duw ni yn rhy lywaeth o lawer.
Pam gwastraffu amser ac egni gyda'r bobl hyn?
Doedd dim esgus dros Ninefe.
Gwyddent fod yr hyn a wnaethant o'r cychwyn yn annerbyniol.
Pam na allai Duw eu dileu yn llwyr,
a rhoi diwedd ar y mater hwn unwaith ac am byth?
Dyna y byddwn i wedi ei wneud heb feddwl ddwywaith.
Ond rhaid iddo fe anfon mygins fan hyn,
i'w rhybuddio,
gan wybod yn iawn beth fyddai eu hadwaith.
Os mai dyna ei ddymuniad, popeth yn iawn;

roedd ganddo'r hawl i weithredu fel y dymunai –
ond pam fy newis i?
Dyna sy'n gur pen i mi.
Y mae'n gwybod fy nheimladau i ar y mater,
beth a wnawn *i* i wŷr Ninefe.
Ni allaf ddeall;
gallech gredu ei fod am ddysgu gwers i mi
llawn cymaint ag iddynt hwy.
Bobl bach, beth ydw i'n ei ddweud?
Beth nesaf!

Gweddi

Arglwydd,
mae'n hawdd siarad am garu eraill,
llawer anoddach yw golygu hynny.
Un peth yw sôn am faddeuant,
peth arall yw ei weithredu.
Ein dymuniad ni yw i bobl
dalu am eu gweithredoedd.
Mae'r syniad o faddeuant yn ddiarth i ni.
Helpa ni i sylweddoli fod dy ras yn fwy na'n dychymyg,
a rho i ni lawenhau yn rhyfeddod dy gariad,
y cariad sy'n cofleidio pawb.

64. A OEDD HYN YN WIR?

Eseia

Darllen: Eseia 6:1-8

Myfyrdod

A oedd hyn yn wir?
A allai Duw yn ei drugaredd faddau hyd yn oed i mi?
Ymddangosai'n anhygoel,
oherwydd yr oedd pethau yn fy mywyd na ddylai fod yno,
gwn i mi ei siomi lawer gwaith.
A yw hynny yn eich synnu,
a minnau'n broffwyd?
Ni ddylai,
oherwydd gwyddwn beth oeddwn o'r cychwyn.
Os oedd Duw am fy nefnyddio
byddai'n rhaid iddo wneud hynny er gwaethaf yr hyn oeddwn,
nid oherwydd yr hyn oeddwn.
Roedd fy meiau yn amlwg i mi,
ac yn rhy boenus i feddwl amdanynt.
Credwch fi, fy nymuniad oedd bod yn wahanol –
fyddai dim wedi rhoi mwy o foddhad i mi
na bod yn was ffyddlon difai –
ond ni allwn osgoi'r gwirionedd:
roeddwn mor wan â'r dyn drws nesaf,
yn analluog i ymwrthod â themtasiwn.
Pa reswm oedd i gredu y gallwn newid?
Felly, pan ymddangosodd Duw i mi y diwrnod hwnnw yn y deml,
rhaid i mi gyfaddef i mi ddychryn;
llethwyd fi gan ymdeimlad o'm hannheilyngdod.
Gwn mai dim ond gweledigaeth ydoedd,
ond bu'n gyfrwng i'm hatgoffa
beth wyf fi a phwy yw ef,
o'm gwendid i a'i nerth ef.
Sut gallwn gau'r gagendor hwnnw?

Ond, yr eiliad nesaf, teimlais Dduw yn ymestyn ataf
a'm cyffwrdd,
yn fy ngalw i'w wasanaethu,
yn maddau i mi
ac yn fy ngwneud yn gyfan.
Fi, Eseia, yn broffwyd?
Allai hyn fod yn wir?
Allai Duw fy nghreu o'r newydd?
Er mor anhygoel ydoedd
dyna oedd ei addewid
a dyna'r hyn a brofodd,
nid yn unig i mi ond i filoedd dros y canrifoedd.
Galwodd fi i gyhoeddi maddeuant,
dechrau newydd i bawb,
rhyddid oddi wrth eu pechodau.
Ac rwyf wedi darganfod gwirionedd y neges honno –
pwy bynnag ydych,
beth bynnag a wnaethoch,
y mae Duw yn barod i faddau yr hyn a *fu,*
cymryd yr hyn *sydd,*
a'i ddefnyddio trwy ras i drawsnewid yr hyn sydd i ddod.

Darllen: Eseia 1:16-18

Gweddi
O! Dduw grasol,
nid oes gennym hawl ar dy ddaioni,
dim rheswm i ddisgwyl dy drugaredd.
Er gwaethaf ein bwriadau da, fe fyddwn yn methu yn fynych.
Dywedwn un peth a gwneud peth arall;
honnwn dy garu ac eto anwybyddu dy ewyllys.
Maddau i ni, O! Dduw.
Tyrd atom a dilea'n hanwireddau.
Adnewydda ni drwy dy Ysbryd Glân,
gwared ni drwy Iesu Grist,
a chrea ni o'r newydd yn dy gariad mawr
fel y gallwn fyw a gweithio i ti,
er gogoniant dy enw.

65. A YW HYN YN SWNIO'N WIRION I CHI?

Eseia

Darllen: Eseia 11:1-9

Myfyrdod

A yw hyn yn swnio'n wirion i chi –
blaidd yn byw gyda'r oen,
llew yn pori gyda'r ych,
plentyn yn chwarae gyda'r neidr?
Rhaid i mi gyfaddef, wedi i mi ystyried y goblygiadau,
fod y cyfan yn swnio'n od i mi.
Ond nid felly ar y pryd.
Roedd gennyf ddarlun o fyd gwahanol,
cymdeithas heb ffiniau,
lle'r oedd y pethau bach oedd yn ein gwahanu
yn rhan o'r gorffennol.
Dychmygwch –
dim rhagor o drais,
dim rhagor o ofn,
dim rhagor o gasineb,
dim rhagor o ddioddef;
y byd yn ddedwydd,
a phob creadur yn cyd-fyw yn hapus,
heddwch rhwng cenhedloedd,
pobl yn werthfawr,
yn cael eu caru
a'u parchu,
am yr hyn oeddent.
A yw hynny'n syniad mor wirion?
Mae'n bosib ei fod,
oherwydd gan amlaf,
pan ddaw hi'n ddydd o brysur bwyso,
dim ond un sy'n cyfrif.

Fi, fi, fi.
'Fi sy'n iawn a naw wfft i bawb arall.'
Carem fod yn wahanol,
ond er y delfrydau da
ni allwn newid ein hunain.
Er, rhaid i chi gyfaddef,
roedd gennyf syniad hyfryd.
Byd o heddwch a chyfiawnder? –
darlun chwyldroadol,
yn werth anelu ato,
hyd yn oed yn werth marw drosto.
A phwy a ŵyr, rhyw ddiwrnod,
na ddaw rhywun
i wireddu'r weledigaeth.
Teyrnas Dduw, yma ar y ddaear.

Gweddi

Arglwydd,
byddwn yn anobeithio weithiau
wrth edrych ar ein byd.
Gwelwn drachwant, casineb a thrais
a gofynnwn 'Sut all hyn newid?'
Maddau i ni ein hanobaith.
Maddau i ni am golli golwg ar yr hyn y gelli di ei gyflawni.
Megina fflam isel ein gobaith,
a helpa ni nid yn unig i gredu y gall pethau newid
ond i chwarae'n rhan yn y broses o newid.

66. BETHLEHEM

Darllen: Micha 5:2-5a

Myfyrdod

Bethlehem –
lle diflas ar y naw.
Dim byd yn arbennig nac yn anghyffredin ynglŷn â'r lle,
tref nodweddiadol o Jwda,
pawb yn meindio ei fusnes ei hunan.
Peidiwch â'm camddeall;
nid fy mwriad yw bychanu'r lle –
i'r gwrthwyneb –
ond nid oedd yn lle y byddech yn disgwyl
i bethau mawr ddigwydd,
heb sôn am bethau fyddai'n trawsnewid y byd.
Ond wyddoch chi beth,
ers i mi fynd heibio yno y dydd o'r blaen,
mae gennyf ryw deimlad
fod gan Dduw ei olwg ar y lle.
Ydy, mae'n syniad hurt, rwy'n gwybod –
ac er ceisio dweud hynny wrthyf fy hun droeon
ni allaf gael y syniad o'm pen.
Mae pobl yn dechrau siarad amdanaf
ac yn credu fy mod yn colli arni.
Pwy all eu beio?
'Rho brawf i ni,' meddent.
'Dangos y dystiolaeth!'
Ond does gen i ddim tystiolaeth;
dim ond rhyw deimlad ym mêr fy esgyrn
fod Duw yn siarad â mi.
Ond oedwch i feddwl am ychydig.
Oni fyddai'r cyfan yn nodweddiadol o Dduw –
yn drysu'n disgwyliadau,
yn troi ein syniadau wyneb i waered,

defnyddio'r bach i gyflawni'r mawr,
y distadl i sicrhau'r ysblennydd,
y dinod i syfrdanu'r balch?
Cofier Moses! Josua! Dafydd!
Cofier yr Aifft! Jerico! Goliath!
Yr un yw'r stori dro ar ôl tro.
Gallwn yn hawdd fod yn anghywir y tro hwn.
Hwyrach nad yw'r cyfan yn ddim byd mwy
na chwilen yn fy mhen.
Ond nid wyf yn meddwl hynny.
Cofiwch mai dyma i chi Dduw
sydd nid yn unig yn ein synnu yn ei ddyfodiad
ond yn y ffordd y daw.
Edrychwch chi i gyfeiriad Jerwsalem os mynnwch.
Ond fi?
Rwy'n edrych i gyfeiriad Bethlehem,
y lle olaf y byddech yn disgwyl, efallai,
ond yng ngolwg Duw
yr olaf a fydd flaenaf!

Gweddi

Arglwydd,
yr wyt ti wedi defnyddio'r
bobl fwyaf annhebyg
yn y mannau mwyaf annhebyg.
Dangosaist nad oes neb na dim
y tu hwnt i ffiniau dy bwrpas.
Dysg i ninnau fod yn agored
i bopeth yr wyt yn dymuno
ei gyflawni drwy eraill o'n cwmpas.
Rwyt ti'n gweld y posibiliadau ym mhawb a phopeth –
dysg i ninnau dy efelychu.

67. A YW BYWYD YN DEG?

Nahum

Darllen: Nahum 1:2-10

Myfyrdod

A yw bywyd yn deg?
A ydych wedi ystyried y cwestiwn hwnnw erioed?
Roedd hi'n arferiad gen i wneud hynny'n fynych.
Mae'n anodd peidio a dweud y gwir,
yn enwedig wrth weld y drwg yn llwyddo
a'r da'n cael ei sathru dan draed.
Dyna yn union a welsom am flynyddoedd,
cyfundrefn mor llwgr a chreulon
â dim a welsoch erioed.
Roedd trachwant, eiddigedd a drygioni'n rhemp.
Dioddefwyd y cyfan yn dawel,
ond edwinodd ein ffydd a phylodd ein gobaith.
'Lle'r oedd Duw?' oedd ein cwestiwn.
'Sut gallai eistedd yn ôl a chaniatáu i ymerodraeth fel hyn fodoli?'
Tanseiliwyd popeth –
ein hargyhoeddiadau,
ein dysgeidiaeth,
ein ffydd ym mhwrpas tragwyddol Duw.
Yr oedd yn amhosibl peidio amau,
a dangosodd llawer eu parodrwydd i leisio'u teimladau.
Parhaodd felly am beth amser;
ond, yn sydyn, trodd y fantol,
a'r esgid bellach ar y droed arall,
ac yn sgil hynny adferwyd fy ffydd.
Ni ddylwn grechwenu,
ond mae'n anodd peidio
o gofio'n dioddefaint –
colli tir,

colli pobl.
Doedd gennym ddim dewis ond gwrando ar eu gwawd,
a phorthi eu dymuniadau,
ond nawr mae pethau'n wahanol –
rhaid iddynt bellach fedi yr hyn a heuwyd ganddynt
a rhoi cyfrif am y troseddau a gyflawnwyd,
ac ni chollaf yr un deigryn drostynt.
Gadewch iddynt dalu;
does dim dedfryd yn rhy lym,
na chosb yn rhy eithafol.
Mae'n bosibl eich bod yn fy ystyried yn ddideimlad.
Mae'n bosibl eich bod yn iawn.
Ond mae'n dda gweld fod y da yn drech na drygioni.
Nid wyf am honni fod y broblem wedi'i datrys,
oherwydd daw eraill llawn mor ddrygionus i lenwi'r bwlch a adawyd;
er hynny mi wn i sicrwydd,
yn y pen draw,
fe sicrha Duw'r oruchafiaeth
ac fe fydd gwirionedd yn drech na'r cyfan!

Gweddi
Arglwydd,
mae bywyd yn anodd ei ddeall weithiau.
Gwelwn y diniwed yn dioddef a'r
drygionus yn llwyddo.
Er gwaetha'r cyfan, dysg i ni gofio
dy fod ti yno bob amser,
nad wyt yn ein gadael yn amddifad.
Uwchlaw pob dim, dysg i ni edrych ar groes Crist,
ac ymnerthu yng ngoruchafiaeth cariad
dros bwerau'r drwg.

68. A OES GWAHANIAETH?

Seffaneia

Darllen: Seffaneia 1:7a, 10-16; 3:9-13

Myfyrdod
'A oes gwahaniaeth?' Dyna'u cwestiwn.
'A ydyw ymddygiad yn cyfrif o gwbl –
y modd y gweithredwn,
y modd y meddyliwn?'
Byddent wedi credu hynny unwaith,
yn gwbl argyhoeddedig
y byddai Duw yn dial,
ac yn cosbi.
Duw cyfiawnder ydoedd iddynt,
yn gwobrwyo daioni ac yn cosbi drygioni.
Ond aeth llawer o ddŵr dan y bont ers hynny.
Maent wedi gweld ffordd y byd ers hynny –
y cryf yn traflyncu'r gwan,
y cyfoethog yn pluo'r tlawd.
'Beth wnaeth Duw i'w rhwystro?' Dyna oeddent am wybod.
'A fu iddo ymyrryd yn enw cyfiawnder?'
Na, dim o gwbl yn ystod eu hoes hwy.
Os na ofalwch chi am eich hunan,
ni wnaiff neb arall;
dim Duw,
dim dyn,
dim neb.
Dyna'u hathroniaeth!
Ai felly y gwelwch chi bethau?
Credwch fi, camgymeriad yw credu hynny.
Hwyrach nad oes sŵn mellt oddi uchod,
na chosb barod ar gyfer y drosedd,
ond pwy ddywedodd y byddai?

Os mai felly y gweithreda Duw, druan ohonom.
Os ydynt yn credu nad yw Duw yn hidio,
cânt weld y gwir yn y man.
Ie, yn y man,
nid heddiw,
nid yfory efallai,
ond daw dydd y cyfrif –
pan fydd pawb yn medi yr hyn a heuwyd ganddynt.
Fe ddelir llygredigaeth yn ei we ei hun,
dilëir drygioni gan ei wenwyn ei hun,
a phan ddigwydd
bydd pawb yn gwybod pwy sydd Dduw.
Anwybyddwch fi os mynnwch,
ond ni allwch osgoi'r canlyniadau.
Ond cofier hyn:
pan gyhoeddir y dyfarniad
peidiwch â dweud na chawsoch eich rhybuddio.

Gweddi
Arglwydd,
ni allwn ond meddwl am annhegwch bywyd.
Gwelwn gymaint o bobl yn cael cam
ac ni allwn ddeall pam nad wyt yn ymyrryd ar eu rhan.
Cadw ni rhag digalonni yn wyneb yr hyn a welwn.
Dysg i ni fod dy ddilyn di
yn dwyn ei wobr,
gwobr mwy na all y byd ei chynnig i ni.
Atgoffa ni o'r newydd
y bydd yn rhaid i bawb roi cyfrif
am ei oruchwyliaeth ar y ddaear,
ac fe amlygir cyfiawnder y pryd hwnnw.

69. BETH SY'N DIGWYDD?

Habacuc

Darllen: Habacuc 1:2-4

Myfyrdod
Beth sy'n digwydd?
All rhywun ddweud wrthyf?
Credais fod ein Duw ni o blaid y da,
o blaid cyfiawnder a chariad.
Duw sy'n gwobrwyo'r ffyddloniaid ac yn cosbi'r drygionus.
Wrth edrych o gwmpas nid hynny a welaf;
gwelaf drachwant, casineb, trais ym mhobman,
y llygredig yn llwyddo
a'r gwan yn gwywo.
Pawb drosto'i hun ydyw hyd y gwelaf i.
Ac ymddengys fod Duw yn gwneud dim,
yn cau ei lygaid yn wyneb yr anfadwaith.
Mae'n ddrwg gennyf orfod dweud hyn,
ond felly mae'n ymddangos weithiau,
ac rwyf wedi blino twyllo fy hun a phawb arall.
Ond credaf y daw dydd
y bydd daioni yn trechu'r holl ddrygioni;
dyna'r unig beth all wneud synnwyr o'r cyfan.
Ond peidiwch â dweud mai felly y mae pethau'n gweithio yma'n awr,
fod y gwan a'r cywir yn llwyddo,
oherwydd nid felly y mae hi.
Gwyliais y diniwed yn dioddef,
y gwan yn cael eu defnyddio a'r tlawd yn cael eu sathru.
Bûm yn dyst i drachwant,
chwantau anllad,
twyll haerllug,
y cwbl yn cyrraedd eu nod.
Peidiwch â chredu fy mod yn amau Duw,
ond rwy'n cwestiynu'r modd y gwisgwn ef,

rwy'n cwestiynu ffydd sy'n honni
fod pechod yn esgor ar ddioddefaint,
ac ufudd-dod yn esgor ar wobr,
oherwydd nid yw mor syml â hynny.
Galwch fi'n anuniongred os mynnwch,
yn gablwr –
dyna yw eich hawl.
Ond y tro nesaf y bydd bywyd yn eich brathu,
gofynnwch hyn i chi eich hunan:
ai gwaith Duw ydyw?
ei ddigofaint?
ei gosb? –
neu a ydyw yn dioddef yno gyda chi,
yn rhannu eich dicter,
yn lleisio eich poen,
ac yn dyheu am y dydd
pan atebir nid yn unig eich cwestiynau *chi*
ond hefyd ei gwestiynau *ef*?

Darllen: Habacuc 3: 17-19

Gweddi
Arglwydd,
mae'n anodd gwneud synnwyr o fywyd weithiau,
a ffolineb yw ceisio gwneud hynny,
oherwydd gwyddom nad yw'r byd fel y dymunet ti iddo fod.
Gweddïwn,
'Deled dy deyrnas, gwneler dy ewyllys',
a sylweddolwn fod cymaint yn llesteirio dy bwrpas.
Gwared ni rhag dy feio di.
Gwared ni rhag bod mor ddiniwed â chredu
os y dilynwn di y bydd popeth yn iawn.
Helpa ni i gredu
y daw dydd,
yng nghyflawnder yr amser,
pan amlygir grym cariad
i orchfygu'r byd.

70. DYMA'R PETH OLAF A DDISGWYLIAIS

Jeremeia

Darllen: *Jeremeia 1:4-10; 20:7-9*

Myfyrdod
Dyma'r peth olaf a ddisgwyliwn,
y peth olaf a ddymunwn –
fi, Jeremeia, yn broffwyd?
Chwerthinllyd!
Dim ond bachgen oeddwn,
yn dal i ddysgu gwersi'r byd,
dim profiad o fywyd o gwbl,
a'r syniad o siarad yn gyhoeddus yn uffern i mi.
Felly, dywedais hynny wrtho yn syth:
'Mae'n flin gennyf, Arglwydd, ond dim diolch.
Gofyn i rywun arall!'
Braidd yn swrth, efallai,
ond doedd dim pwynt malu awyr.
Gwyddwn beth oedd fy nghryfderau a'm cyfyngiadau cystal â neb,
ond yr oedd hyn y tu hwnt i mi.
Ond ni fynnai dderbyn 'na' fel ateb.
'Paid ag edrych arnat dy hun,' meddai.
'Edrych arnaf fi!
Nid dy ddoniau *di,*
dy ddoethineb *di,*
dy eiriau *di* sy'n cyfrif,
ond fy eiddo *fi,*
a gelli di fod yn dawel dy feddwl
y byddaf fi yno
pan fyddi fy angen,
yn barod i siarad,
yn barod i nerthu,
yn barod i achub.'

Beth allwn ddweud?
Doedd dim dianc!
Mae'n siŵr y gallwn fod wedi dadlau,
ond nid oes natur wrthryfelgar ynof
ac os oedd Duw yn gweld defnydd i mi, popeth yn iawn –
ond ni allwn gredu hynny.
Yr oedd eraill yn fwy dawnus na mi,
mwy cymwys ar gyfer y gwaith;
athrawon, pregethwyr, arweinwyr,
yn abl i gyfareddu'r tyrfaoedd gyda'u huodledd.
Fi? Crynwn yn fy sandalau wrth feddwl am y peth.
Eto, gwelodd Duw rywbeth ynof na allwn ei weld fy hun,
doniau na wyddwn am eu bodolaeth,
ac y mae wedi eu defnyddio ers hynny
mewn ffordd sydd wedi fy syfrdanu i.
Na, ni allaf ddweud i mi fwynhau bod yn broffwyd;
i'r gwrthwyneb –
bu'n gostus,
ac ar adegau yn beryglus,
ac ychydig iawn a groesawodd fy neges.
Ond bu raid i mi ei llefaru,
rhaid oedd cyflwyno'r neges,
ac er i mi yn aml ddymuno hynny
ni allwn fod yn ddistaw.
Galwch fi'n wallgof os mynnwch –
mae digon wedi gwneud o'ch blaen chi –
ond nid wyf wedi gorffen eto, o bell ffordd,
ac nid wyf yn credu y gwnaf i byth.
Oherwydd sôn am fy nghydwladwyr yr ydym ni yma,
pobl ffôl, ystyfnig a phechadurus efallai,
ond fy mhobl i a phobl Dduw.
A thra bod gobaith y bydd
un yn gwrando,
un yn edifarhau,
fe ddaliaf ati
hyd fy anadl olaf.

Gweddi

Arglwydd,
daw adegau y byddwn yn flin i ti ein galw o gwbl.
Pan fydd y gwaith yn drwm
a'r amgylchiadau'n ddigalon.
Eto fe weli ynom ddoniau
nad ydym ni wedi eu hadnabod
ac yr wyt yn ein defnyddio mewn ffordd
na allem fod wedi ei dychmygu.
Dysg i ni edrych ar fywyd drwy dy lygaid di,
gan weld y posibiliadau yn hytrach na'r rhwystrau.
Helpa ni i roi'r cyfan i ti mewn ffydd a llawenydd.

71. 'RWYT TI'N GWASTRAFFU DY AMSER,' MEDDEN NHW

Jeremeia

Darllen: Jeremeia 31:31-34

Myfyrdod

'Rwyt ti'n gwastraffu dy amser,' medden nhw,
'yn dilyn breuddwyd amhosibl'–
fe hoffent gredu, mae'n debyg, ond mae'n swnio mor afreal,
braidd yn chwerthinllyd a dweud y gwir.
Rhaid i mi gyfaddef, ni allaf eu beio,
oherwydd pan ddygaf i gof hanes fy nghenedl,
does dim llawer o obaith iddynt newid eu ffyrdd;
wedi'r cyfan,
a all llewpard newid ei frychni?
Bu ymgais i newid, Duw a ŵyr,
brwydr corff ac enaid i droi dalen newydd,
ond er yr holl addunedu,
methu a wnaethom.
Felly, o'm clywed yn sôn am ddechreuadau newydd,
nid syndod yw eu gweld yn gwenu'n gam.
Gwelsant y cwbl o'r blaen,
addewidion wedi eu torri,
bwriadau da yn arwain at ddim –
pa reswm oedd ganddynt i gredu y byddai pethau'n wahanol nawr?
Ond fe all fod, rwy'n sicr o hynny,
nid oherwydd unrhyw beth a wnawn *ni,*
ond oherwydd yr hyn a wnaiff *Duw* trosom –
gweithio arnom,
ein ffurfio,
ein trin,
fel y bydd crochenydd yn trin ei glai.
Mae'n swnio'n anhygoel, mi wn,

ffantasi noeth,
ac ni wn a welaf hynny yn fy oes fy hun.
Ond credaf y daw'r dydd –
y dydd y bydd Duw yn chwalu'r gwahanfuriau,
y dydd y down yn ei drugaredd yn greadigaeth newydd,
wedi'n hiacháu,
wedi'n hadfer,
wedi derbyn maddeuant.
Daliaf i'w wasanaethu,
yn gwybod,
yng nghyflawnder yr amser, y cyflawnir y cyfan!

Gweddi

Arglwydd,
gwyddost am ein hawydd i'th wasanaethu.
Yr ydym wedi addo lawer gwaith i fod yn bobl i ti,
ac eto pan ddaeth y cyfle fe'th siomwyd ynom.
Trugarha wrthym, O! Arglwydd,
ac adfer ni drwy dy Ysbryd Glân.
Glanha ni drwy gariad Iesu Grist,
a rho i ni galon newydd ac ysbryd cywir o'n mewn,
Gwna ni eto yn bobl ffyddlon i ti.

72. CREDAIS FY MOD YN ARBENIGWR

Eseciel

Darllen: Eseciel 1:1, 4-5a, 13, 15, 16b, 22, 26, 28

Myfyrdod
Credais fy mod yn arbenigwr;
fy mod i yn fwy na neb, wedi gweld rhyfeddod Duw –
ei fawredd,
ei nerth,
ei ysblander.
Offeiriad oeddwn,
a'r deml yn ail gartref i mi;
addolais yno,
aberthais yno,
am flynyddoedd,
ers cyn cof.
Oni ddylwn i o bawb fod wedi deall ei fawredd?
Eto, y diwrnod hwnnw, wrth afon Chebar, dysgais rywbeth newydd.
Dyna'r peth olaf a ddisgwyliwn,
a'r lle olaf a ddisgwyliwn;
nid Jerwsalem,
nid Jwda hyd yn oed,
ond gwlad ddiarth,
gwlad o eilunod estron –
Babilon!
Allai Duw ein cyfarfod yno –
allai ei law, ei gariad, estyn mor bell?
Ymddangosai fel breuddwyd ffôl,
rhywbeth a fwriais dros gof amser maith yn ôl.
Yr oedd ef yn sanctaidd ac yn gyfiawn,
a ninnau wedi ymdrybaeddu mewn pechod;
sut gallai agosáu atom ni,
hyd yn oed pe bai'n dymuno?

181

Ond, yn sydyn, cefais weledigaeth
ofnadwy,
ddirgel,
Duw wedi ei orseddu mewn gogoniant,
yn teyrnasu dros bawb.
Ni allaf ei ddisgrifio'n iawn,
dim fel y carwn,
oherwydd nid yw geiriau'n ddigonol
i fynegi rhyfeddod y foment honno.
Ond yr oedd tafodau o dân a fflachiadau mellt,
sŵn taranau a gwynt yn rhuthro,
olwynion o fewn olwynion, adenydd yn cyffwrdd ag adenydd,
enfys liwgar, synau syfrdanol.
Uwchben y cyfan yn symud i bob cyfeiriad,
yn fawr, yn ogoneddus, yn hollalluog,
yr oedd yr Arglwydd, llywodraethwr nefoedd a daear.
Yr oedd yn syfrdanol,
anhygoel;
syrthiais yn fy nagrau ger ei fron,
oherwydd yr oedd ef *yma* yn ein ceisio ni,
yma ym Mabilon llawn cymaint ag yn rhywle arall!
Daeth i'n gwaredu,
i'n harwain adref.
Er i ni ei siomi droeon,
ni fynnai ef ein siomi ni.
Credais fy mod yn arbenigwr,
yn gwybod y cyfan am Dduw,
ond ni chredaf hynny byth mwy,
oherwydd cefais gip ar ei fawredd –
dim ond cip a dim byd mwy;
mae'n anodd dygymod â'r ychydig –
heb sôn am amgyffred y darlun llawn!

Gweddi

Arglwydd Dduw,
yr wyt ti yn ein hamgylchynu yn ôl ac ymlaen.
Ti yw Duw'r gorffennol, y presennol a'r dyfodol.

Duw nefoedd a daear,
Ti yw creawdwr a chynhaliwr popeth byw.
Maddau i ni am golli golwg ar dy fawredd.
Maddau fod ein gorwelion mor gyfyng.
Gwared ni rhag crefydd y gadair gysurus
a galw ni eto i'th wasanaeth.

73. A OES DISGWYL I MI DOSTURIO WRTHYNT?

Obadeia

Darllen: Obadeia 1-4, 12, 15b

Myfyrdod
A oes disgwyl i mi dosturio wrthynt?
Gwn eich bod chi'n teimlo y dylwn
ond wna i ddim,
dim hyd yn oed fymryn bach.
Maent yn haeddu'r cwbl yn fy nhyb i –
hen bryd i rywun dorri eu crib.
Maent wedi lordio gormod dros eu cymdogion,
yn crechwenu uwch pob anffawd,
yn gorfoleddu yn eu cwymp.
Fe wyddom ni, oherwydd i ninnau ddioddef dan eu dwylo barus.
O'r diwedd daeth eu tro,
a does dim tynged rhy greulon ar gael iddynt.
Gwn fod hynny'n swnio'n llym,
a bydd digon yn barod i'm condemnio.
'Dangos rhyw gymaint o drugaredd.' Dyna ddywedant wrthyf.
'Ceisia weld pethau o'u hochr nhw,
maddau ac anghofia.'
Nid yw mor syml â hynny,
oherwydd ni fynna'r bobl hyn ddysgu.
Ddydd ar ôl dydd, blwyddyn ar ôl blwyddyn,
maent wedi'n sathru dan draed;
a dweud y gwir, yr ydym wedi cael digon.
Nawr, y nhw sy'n gorfod wynebu eu darostyngiad,
a does bosib eich bod yn ein beio am lawenhau?
Mae'r rhod wedi troi o'r diwedd,
mae'n anodd peidio chwerthin.
Fe ddylwn wybod yn well, rwy'n cyfaddef,

ond cofiwch hyn:
nid ni a drefnodd hyn;
eu balchder,
eu trachwant,
eu ffolineb eu hunain a'u maglodd.
Does neb i'w beio
ond y nhw.

Gweddi

Arglwydd,
mae maddau i eraill yn waith anodd.
Ein tuedd naturiol yw dial a meithrin dicter.
Dysg i ni adael y dial i ti,
ac i ymddiried mwy yn dy gyfiawnder.
Gwared ni rhag y surni a'r chwerwedd
sydd yn ein difetha ni yn fwy na neb arall.

74. CREDAIS FY MOD YN EI ADNABOD YN WELL NA NEB

Eseia

Darllen: Eseia 55:6-11

Myfyrdod

Credais fy mod yn ei adnabod yn well na neb,
fy mod wedi dod i'w ddeall dros y blynyddoedd.
Mae'n siŵr fy mod – i raddau –
oherwydd profais ryfeddod ei bresenoldeb,
clywais sŵn ei lais,
a thrwy ei ras, cyhoeddais ei bwrpas
a datgan ei gariad;
newyddion da i'r holl fyd.
Ydych chi'n llawn edmygedd?
Ni ddylech fod –
oherwydd nid oedd yn ddim mewn gwirionedd,
dim ond llygedyn o oleuni,
ffenestr fechan i fyd o ddirgelwch anferthol.
Yr oedd yn brofiad arbennig, peidiwch â'm camddeall;
pob munud o'm gweinidogaeth yn fraint.
Llefarais am gariad, a chynhesodd fy nghalon o'm mewn,
yn llamu fel yr hydd wrth synhwyro dŵr rhedegog, bywiol.
Llefarais am faddeuant,
dechrau newydd,
canodd fy ysbryd o lawenydd.
Llefarais am oleuni yn llewyrchu yn y tywyllwch,
yn ymestyn o'r caddug,
yn adfywio, adnewyddu ac adfer.
Do, bu'n brofiad cyfareddol,
yn ddigon i roi fy nghalon ar dân,
ac eto nid oeddwn ond yn cyffwrdd ag ymylon ei berson.
Er cymaint a welais, roedd mwy o'r golwg;

beth bynnag a ddysgais roedd mwy i'w ddatguddio,
beth bynnag y credais i mi ei ddeall,
yr oedd mwy heb ei gyffwrdd,
yn rhy fawr i'w amgyffred,
oherwydd yr oeddem yn wahanol i'n gilydd,
ef yn bopeth
a minnau ond yn gysgod diflanedig.
Credais fy mod yn ei adnabod yn well na neb,
ac i ryw raddau yr oeddwn,
fy ngwybodaeth yn tyfu'n feunyddiol,
profiadau newydd,
darganfyddiadau newydd.
Ond gwelaf yn awr, er i mi deithio'n bell,
fod mwy o lawer i fynd,
mwy i'w ddysgu –
a dweud y gwir,
nid yw'r daith ond dechrau!

Gweddi

Arglwydd,
maddau i ni am golli golwg ar dy fawredd,
am i ni geisio dy gyfyngu i'n dealltwriaeth ni.
Oherwydd ein gorwelion cyfyng
yr ydym wedi rhwystro dy ewyllys,
yr ydym wedi colli cyfleon.
Bu i ni gredu mai ein ffyrdd ni yw dy ffyrdd di,
ein meddyliau ni yw dy feddyliau di.
Maddau i ni,
a gwared ni rhag diystyru maint dy gariad
drwy Iesu Grist ein Harglwydd.

75. NI ALLWN GREDU YR HYN A WELWN

Haggai

Darllen: Haggai 1:1-9

Myfyrdod

Ni allwn gredu yr hyn a welwn;
yn wir, yr oeddwn yn fud!
Wedi popeth a gawsom,
popeth a wnaeth Duw trosom,
yr oedd ei anwybyddu fel hyn yn anghredadwy.
Ac eto, yr oeddent yn adeiladu
tai, cartrefi mwy a gwell iddynt eu hunain bob dydd,
ac yn llwyr anghofio tŷ Dduw,
gan ei adael yn adfeilion o fewn modfeddi i'w drysau eu hunain.
Buasech yn credu y byddent wedi dysgu eu gwers erbyn hyn –
y blynyddoedd diderfyn ym Mabilon
yn ddigon i ddod ag unrhyw un at ei synhwyrau –
ond nid y nhw, rwy'n ofni;
roedd hi'n amlwg nad oedd pethau wedi newid llawer,
y nhw yn gyntaf
a Duw yn ail.
Ond y peth rhyfedd yw,
doedden nhw ddim yn sylweddoli,
a theimlent eu bod wedi cael cam.
'Beth sydd wedi digwydd?' oedd eu cwestiwn.
'Pam fod Duw yn dal ei fendith yn ôl?'
Anhygoel, ac eto'n wir!
Oni allent weld mai canlyniad eu ffolineb oedd y cyfan?
Mae'n amlwg ddim.
Ond fe ddylai fod yn amlwg iddynt
fod cymdeithas wedi ei sylfaenu ar drachwant,
yn meddwl am neb arall,
yn carlamu i ddifancoll.

Roedd yn ddolur imi dystio i hyn,
ond bu'n fwy o ddolur i Dduw.
Unwaith yn rhagor gwelodd ei bobl yn gwastraffu eu bywyd.
Beth fyddai'r diwedd tybed?
Ai wylofain a rhincian dannedd eto?
Ond trwy drugaredd,
pan lefarodd y tro hwn,
roeddent yn barod i wrando,
yn barod i ddysgu,
ac yn barod i newid.
Dyna i chi wahaniaeth mewn pobl.
Nid gwlad yn unig ydym mwyach,
criw o alltudion wedi'n hadfer i'n mamwlad –
cymuned ydym,
cenedl,
pobl wedi ein huno mewn ffydd.
Nid wyf yn honni fod popeth yn berffaith;
bydd mwy o gamgymeriadau yn ddi-os
a mwy o dreialon,
ond sylweddolwn fod mwy i fywyd
na'n diddordebau ein hunain,
mwy i'r byd na'r hunan,
a'r wyrth ydyw hyn –
o roi ei briod le i Dduw,
darganfyddwn ein gwerth ein hunain –
yn wir, gwerth pawb a phopeth o'n cwmpas.

Gweddi
Arglwydd,
rhoddaist i ni heb gyfrif y gost.
Maddau ein bod ni mor gyndyn i'th gydnabod.
Dysg i ni adnabod y ffordd i wir fywyd,
i ddeall os nad ydym yn barod i golli popeth sydd gennym
na allwn ddarganfod dim sy'n werth ei gael.
Dysg i ni anghofio'r hunan
ac o'th wasanaethu di ac eraill
ddarganfod gwir ystyr byw.

76. A OEDD HI'N WERTH DAL ATI?

Sechareia

Darllen: Sechareia 14:1, 6-9

Myfyrdod
A oedd hi'n werth dal ati?
A allem barhau i gau'n llygaid i'r gwirionedd?
Roedd hi'n anodd peidio gofyn y cwestiwn.
Y gobaith oedd fod y gwaethaf drosodd,
wedi profiadau chwerw'r alltudiaeth,
y blynyddoedd diderfyn rheiny
oedd mor anodd eu goddef a phoenus i'w cofio.
Nid ein bod wedi'n cam-drin yno – ni allem honni hynny –
ond yr oedd rhyw ymdeimlad o wacter,
gwybod ein bod yn bell o gartref,
yn bell o wlad ein tadau a dinas Duw.
Ni allem anghofio hynny, er cymaint y ceisiem,
felly pan ddaeth y cyfle i ddychwelyd,
neidiwyd arno,
gan edrych ymlaen at gyfnod newydd,
teyrnas Dduw yma ar y ddaear.
Ond nid felly y digwyddodd pethau.
Wedi'r llawenydd cychwynnol gwawriodd y gwirionedd arnom,
sylweddolwyd maint y dasg o'n blaenau,
a phrinder ein hadnoddau ein hunain.
Gwnaethom ein gorau, wrth gwrs –
adfer y deml gam wrth gam –
ond daeth yn amlwg i ni
na allem ei hadfer i'w hen ogoniant.
Rhaid oedd bodloni,
a gwneud y gorau ohoni –
a gorau po gyntaf y derbyniem y sefyllfa.
Dyna a gredais innau, tan heddiw;
roedd fy anobaith a'm dadrithiad cyn waethed â neb.
Ond nid mwyach,

oherwydd neithiwr cefais weledigaeth ryfedd,
golwg ar deyrnas na welwyd mo'i chyffelyb.
Gwelais wawrddydd newydd, yn boddi'r ddaear â'i goleuni,
yr haul yn codi dros ffrydiau o ddyfroedd,
yr haul yn codi'n uwch ac yn uwch.
Gwelais greadigaeth newydd,
a thir yn adlewyrchu cariad a thrugaredd Duw,
ac yntau yn y canol,
yn rheoli'r cyfan,
oll yn oll.
Gwelais deyrnas o gyfiawnder a gwirionedd,
tristwch yn un â'r gorffennol,
anobaith ar goll yn llwch yr amser gynt.
Yr oedd ein ffiol yn llawn o ddaioni.
Llamodd fy ysbryd,
dawnsiodd mewn llawenydd!
Nid ydym wedi cyrraedd yno eto,
ond rhoddodd Duw gipolwg i ni
ar yr hyn sydd i ddod,
blas ar baradwys;
a bellach yr ydym wedi ymdynghedu i ddyfalbarhau,
beth bynnag fydd y rhwystrau.
Anelu am y deyrnas,
cael gweld ei ogoniant,
y tu hwnt i bob dychymyg.

Gweddi

Arglwydd Dduw,
yr wyt wedi addo dy deyrnas i ni,
pan fydd dynion yn llawenhau yn rhyfeddod dy gariad
a'r holl greadigaeth yn dathlu dy ddaioni.
Dyma sy'n ein hysbrydoli i ddyfalbarhau yn y ffydd,
dyma a rydd nerth i ni yn wyneb anawsterau.
Cyffeswn fod adegau pan fo'r weledigaeth yn pylu.
Rho i ni'r sicrwydd ar adegau felly dy fod ti gyda ni,
ac yng nghyflawnder yr amser
cadarnha ein gobaith.

77. DOEDD GENNYF FAWR I'W GYNNIG

Esra

Darllen: Esra 7:6-10

Myfyrdod

Doedd gennyf fawr i'w gynnig, gwyddwn hynny –
dim doniau anghyffredin,
dim gweledigaeth eglur –
dim ond cariad at Dduw
ac awydd i'w wasanaethu orau gallwn.
Felly fy nod oedd astudio ei air,
darllen pob brawddeg o lyfr y gyfraith,
fel y deuwn i wybod ei ewyllys
a chynorthwyo yn y gwaith o ailadeiladu ein cenedl.
Dim byd arbennig felly, dim ond gwaith yr oedd angen ei gyflawni.
Pam?
Oherwydd i mi weld fy hun
beth oedd canlyniadau anghofio Duw
ac anwybyddu ei orchmynion.
Yr oeddwn ym Mabilon, os cofiwch,
yn rhannu yn alltudiaeth fy mhobl,
yn goddef y rhwystredigaeth a'r boen
o fod yn bell o gartref
ac o ddinas Duw.
Dim eto, byth eto, oedd fy mhenderfyniad.
Felly, darllenais a darllenais,
bob awr,
bob dydd,
hyd nes i'm llygaid frifo –
pob manylyn,
pob cymal,
popeth wedi ei nodi a'i gadw.
Aeth yn obsesiwn, rwy'n cyfaddef,

192

ond yr oedd hyn i fod yn ddechreuad newydd i'n pobl,
pennod newydd yn ein hanes,
ac yr oeddwn yn benderfynol o beidio â'i wastraffu.
Talwyd yn ddrud am gamgymeriadau'r gorffennol,
ond a ddysgwyd y wers?
Dim ond un ffordd oedd cael gwybod hynny.
A euthum yn rhy bell?
Byddai rhai yn sicr am ddweud hynny,
ac mae'n bosibl eu bod yn iawn,
oherwydd gellir camddefnyddio Gair Duw fel popeth arall,
a thrwy bwysleisio'r manion
ofnaf i mi gymylu'r darlun llawn.
Nid y geiriau sy'n bwysig ond y neges,
yr ysbryd yn hytrach na llythyren y ddeddf,
a gwell yw peidio â'i ddarllen o gwbl os anghofiwn hynny.
Rhoddais yr offer, gorau gallwn;
rhaid i *chi* eu defnyddio.

Gweddi
Arglwydd,
rhoddaist i ni dy air yn yr ysgrythurau,
ond yn aml gwrthodwn eu darllen.
Cydnabyddwn mai llyfr ar gau
yw'r Beibl i'r mwyafrif ohonom.
Maddau i ni,
a helpa ni i neilltuo amser a gofod yn ein bywyd
i fyfyrio yn dy air,
i glywed dy air
ac i ymateb mewn ffydd.

78. GWYDDWN I BETHAU FOD YN DDRWG YN JERWSALEM

Nehemeia

Darllen: Nehemeia 1:1-7

Myfyrdod

Gwyddwn i bethau fod yn ddrwg yn Jerwsalem;
gwyddai pawb, pob dyn, pob gwraig a phlentyn.
Clywsom sut y gorymdeithiodd y milwyr i mewn,
yn dymchwel y muriau ac yn llosgi'r ddinas,
yn ysbeilio, treisio, gwawdio,
cyn arwain yr hufen i gaethiwed.
Gwaedodd ein calonnau drostynt i gychwyn,
ac fe fu i ni addo nad âi'r cyfan yn angof gennym.
Ond y mae amser maith ers hynny,
a'r llwch wedi llonyddu ar y cwbwl.
Felly anghofiwyd y gyflafan a bodlonwyd ar Babilon.
Roedd bywoliaeth dda yma i'r sawl a fyddai'n barod i fentro,
rhagolygon da,
cartrefi da,
swyddi da.
Roeddem yn hoffi credu ein bod yn dal i boeni,
ac yr oeddwn yn dal i ystyried Jerwsalem yn 'gartref'.
Ofnaf mai enw ydoedd i'r mwyafrif bellach,
yn addo llawer,
ond yn arwydd o ddim.
Yr oeddwn mor euog â neb,
oherwydd yr oedd bywyd yn dda i mi –
swydd gyfrifol yn llys y brenin –
pa reswm i ysgwyd y drol?
Ond cyrhaeddodd fy mrawd rhyw ddiwrnod o Jerwsalem,
a gosodwyd y darlun trist ger fy mron –
y budreddi,

y dioddefaint,
trueni dinas a fu'n fawr
bellach yn adfeilion
ac yn wrthrych gwawd i bawb.
Sut roeddwn i'n teimlo?
Teimlais gywilydd
oherwydd gwyddwn fy mod yn rhannol gyfrifol
am eu hanobaith a'u hing.
Yn ymddangosiadol roeddwn yn un o'r dioddefwyr,
ond mewn gwirionedd yr oeddwn yn un bellach â'r concwerwyr,
yn cysgu'n dawel yn fy nghartref cysurus,
yn ddiogel,
yn barchus,
ac roedd anghenion pawb o'r tu allan,
gan gynnwys fy mhobl fy hun, yn angof.
Nid dyna oedd y bwriad,
ond felly y digwyddodd.
Beth wnes i?
Dychwelais, wrth gwrs;
defnyddiais fy nylanwad, fel y bwriadodd Duw,
i sicrhau siwrnai ddiogel adref.
Mae'n lle gwahanol erbyn hyn,
y muriau ar eu traed,
y ddinas wedi'i hadfer,
y dyfodol yn galw,
ond ni allaf ddianc rhag yr eiliad honno
y datgelwyd ein methiant –
eiliad a ddysgodd mai un peth yw credu eich bod yn poeni,
fod rhywun yn rhywle yn cyfrif;
peth arall yw profi hynny.

Gweddi
Arglwydd,
soniwn am ymestyn hyd eithaf y ddaear,
ond ofnwn na chyrhaeddwn yn bellach na charreg ein drws.
Maddau i ni am boeni mwy amdanom ein hunain nag am neb arall.
Maddau i ni am anghofio ein bod yn blant i ti

ac yn rhan o deulu mawr.
Maddau i ni ein gorwelion cyfyng,
a gwna ni'n ymwybodol o angen ein brodyr a'n chwiorydd ym mhob man.

79. BU'N AMSER CALED

Joel

Darllen: Joel 2:12-14, 26-32

Myfyrdod

Bu'n amser caled i bawb –
newyn mwy na allai neb ei gofio,
creulon,
ffyrnig,
didrugaredd;
yn sugno ein nerth,
yn cnewian ein boliau –
digon i brofi ffydd y mwyaf ffyddlon.
Bu bron i ni ildio, pawb ohonom,
ond er gwacter ein boliau,
gwacter arall a ddylai fod wedi ein blino –
gwacter ein ffydd,
anghyfanedd-dra ein bywyd,
yr ysbryd yn wan gan ddiffyg cynhaliaeth.
Dyma'r gwir fygythiad i'n bywyd.
Roeddem yn deall pangfeydd y stumog,
ond am y boen arall oddi mewn,
y gwanc didostur,
roedd hwnnw'n ddirdynnol;
roeddem yn ymwybodol o'n hangen
heb wybod sut i'w ddiwallu.
Os oedd rhywbeth yn dangos maint ein cwymp, hwnnw ydoedd.
Er bod Duw yno bob cam o'r daith,
yn annog,
yn ymbil,
yn dyheu am lenwi'r eneidiau llwm,
ni allem weld hynny.
Ac oni bai am ei ras buasai ar ben arnom.

Ond yn ei gariad,
daliodd i alw,
daliodd i addo –
cyfnod newydd,
teyrnas newydd.
Nid bwyd a digonedd yn unig, er bod hynny'n rhodd amhrisiadwy,
ond hefyd ei ysbryd oddi mewn i ni!
A hyn nid i'r ychydig dethol yn unig,
ond i bawb –
hen ac ifanc,
gwryw a benyw,
caeth a rhydd,
cyfoethog a thlawd.
Anhygoel,
tu hwnt i bob disgwyl –
rhy dda hwyrach i fod yn wir?
Ond dyna a ddywedwyd wrthym:
daw dyddiau pan fydd ein meibion a'n merched yn proffwydo,
hynafgwyr yn breuddwydio a'n gwŷr ieuanc yn cael gweledigaethau,
pan fydd pob cnawd yn sylweddoli ei bresenoldeb.
A all hyn fod yn wir?
A all ef mewn gwirionedd gyffwrdd â chynifer o fywydau?
Mae'n ymddangos yn amhosibl,
ond profais ei nerth eisoes,
profais ei ysbryd adnewyddol,
a gwn yn awr
nid yn unig y *gall* hyn fod
ond *rhaid* i hyn fod –
oherwydd dim ond y pryd hwnnw
y digonir gwir angen ein heneidiau.

Gweddi
Diolchwn i ti, O! Dduw,
y gallwn, pwy bynnag ydym,
beth bynnag ydym,
dy adnabod drosom ein hunain
drwy bresenoldeb bywiol dy Ysbryd Glân.

Diolchwn dy fod yn cwrdd ag anghenion dyfnaf ein bodolaeth.
Tyrd atom yn awr,
a helpa ni i freuddwydio breuddwydion a gweld gweledigaethau.
Gwna ni, o'r newydd, yn ymwybodol o'r oll a gyflawnaist,
a'r oll a gyflawni,
a'r hyn oll yr wyt yn bwriadu ei gyflawni eto.
Yn enw Iesu Grist.

80. 'DIM LLAWER I FYND ETO'

Malachi

Darllen: Malachi 2:17-3:3a, 5

Myfyrdod

'Dim llawer i fynd eto,' medden nhw.
'Dim ond ychydig amser eto ac fe ddaw'r dydd,
fe ddaw'r Meseia –
a chyfnod newydd,
gwawr oes ryfeddol newydd,
teyrnas Dduw ar y ddaear.
Dim rhagor o ddioddefaint,
dim rhagor o gaethiwed,
ond rhyddid,
cyfoeth,
a bendithion rif y gwlith!'
Dyna ddywedir wrthyf, beth bynnag –
dyna'r disgwyl.
Pe baent ond yn gwybod!
Pe baent yn medru gweld eu hunain mewn gwirionedd,
efallai y byddent yn newid eu cân.
Rwy'n ofni iddynt wneud camgymeriad
a'u bod yn mynd i gael eu siomi.
O! fe ddaw, does dim amheuaeth am hynny –
nid yn fy amser i efallai,
nac yn eu cyfnod hwy –
ond fe ddaw.
Er hynny, ni ddaw yn ôl eu disgwyliadau.
Pam?
Oes rhaid gofyn?
Edrychwch ar ein cyflwr,
cyflwr ein cymdeithas,
ein ffordd o fyw arwynebol.

Allwch chi weld y Meseia yn ein canmol
pan wêl y cyfan?
Ni allaf i.
Caiff ei siomi, mwy na thebyg,
yn ein methiant i baratoi ar gyfer ei ddyfodiad,
ac ni allaf ei weld yn cau ei lygaid,
pwy bynnag y credwn ydym.
Hoffwn gredu fy mod yn gwneud camgymeriad,
ein bod yn barod ac yn disgwyl ei ddyfodiad.
Ond ofnaf ein bod ymhell o fod yn y cyflwr hwnnw.
Gadewch iddynt edrych ymlaen os mynnant.
Gadewch iddynt weddïo am ddydd yr Arglwydd.
Does ond gobeithio y bydd i'r Arglwydd
roi'r cyfle i ni edrych eto arnom ein hunain
a chael ein tŷ mewn trefn.
Oherwydd ofnaf
y bydd llawer o'r rhai sydd yn awr
yn ymbil am ei ddyfodiad,
y pryd hwnnw yn ymbil am ei ymadawiad.

Gweddi
Arglwydd,
rwyt yn galw arnom i brofi'n hunain.
Helpa ni i gymryd yr her o ddifrif,
oherwydd hawdd yw credu fod popeth yn iawn
pan fyddwn mewn gwirionedd wedi colli'n ffordd.
Tyn ni yn nes atat, bob dydd,
fel y bydd ein ffydd mor fyw ac mor real
â'r diwrnod cyntaf y daethom i gredu.
Gwna ni'n barod i'th dderbyn,
a chadw ni yn ffyddlon yn dy wasanaeth.